Reading & Interpretation
大家写小书·马恩经典著作新读

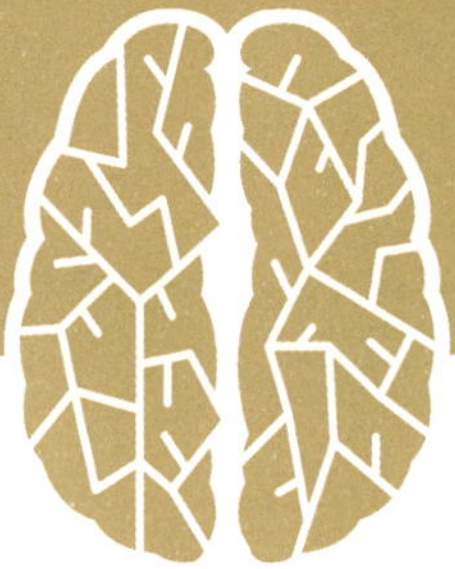

丛书主编 顾保国

国家的本质与消亡的必然

《家庭、私有制和国家的起源》新读

顾保国 著

红旗出版社

红旗出版社
HONGQI PRESS
推动进步的力量

图书在版编目(CIP)数据

国家的本质与消亡的必然:《家庭、私有制和国家的起源》新读 / 顾保国著. —北京:红旗出版社,2020.1(2021.4重印)
(大家写小书 / 顾保国主编. 马恩经典著作新读)
ISBN 978-7-5051-5017-1

Ⅰ.①国… Ⅱ.①顾… Ⅲ.①《家庭、私有制和国家的起源》—恩格斯著作研究 Ⅳ.①A811.24

中国版本图书馆CIP数据核字(2019)第252096号

书　　名　国家的本质与消亡的必然
　　　　　《家庭、私有制和国家的起源》新读
著　　者　顾保国

责任编辑　丁　鋆　　　　从书统筹　丁　鋆
责任校对　周婷婷　　　　特约编审　希　言
责任印务　金　硕　　　　装帧设计　戴　影
出版发行　红旗出版社
地　　址　北京市沙滩北街2号　　　　邮政编码　100727
　　　　　杭州市体育场路178号　　　邮政编码　310039
编 辑 部　0571-85310806
E - mail　rucdj@163.com　　　　发 行 部　0571-85311330
图文排版　杭州兴邦电子印务有限公司
印　　刷　浙江全能工艺美术印刷有限公司
开　　本　889毫米×1194毫米　1/32
字　　数　66千字　　　　印　　张　3
版　　次　2020年1月第1版　　　　印　　次　2021年4月第3次印刷
ISBN 978-7-5051-5017-1　　　　定　　价　20.00元

欢迎品牌畅销图书项目合作　　联系电话:0571-85311330

从经典著作中汲取斗争智慧

（丛书序）

习近平总书记在2019年秋季学期中央党校（国家行政学院）中青年干部培训班开班式上发表重要讲话时指出，“斗争精神、斗争本领，不是与生俱来的。领导干部要经受严格的思想淬炼、政治历练、实践锻炼，在复杂严峻的斗争中经风雨、见世面、壮筋骨，真正锻炼成为烈火真金。要学懂弄通做实党的创新理论，掌握马克思主义立场观点方法，夯实敢于斗争、善于斗争的思想根基，理论上清醒，政治上才能坚定，斗争起来才有底气、才有力量”。

经典著作体现了马克思主义立场观点方法，不仅包含着明确的问题意识、经典的分析方法，而且包含着斗争精神。这种斗争精神既体现了事物本身的复杂性，也体现了人类智慧的深刻性。虽然马克思主义诞生在一个半世纪之前，但迄今依然有着强大的生命力，被历史和现实一再证明是科学的理论，这其中一个重要原因就在于其科学的理论思维和强大的斗争精神。马克思主义经典著作是经典作家探索真理的丰富思想结晶，彰显了马克思主义经典作家坚定的政治立场、政治信仰和献身共产主义事业的政治品格和伟大的斗争精神。习近平总书记在纪念马克思诞辰200周年大会上的讲话中指出：“共产党人要把读马克思主义经典、悟马克思主义原理当作一种生活习惯、当作一种精神追求，用经典涵养正气、淬炼思想、升华境界、指导实践。”这就要求我们，提高学习马克思主义理论的能力，学思践悟，做马克思主义的信奉者、继承者、实践者和发展者。当严峻形势和斗争任务摆在面前时，骨头要硬，要敢于出击，敢战能胜。

近年来，马克思主义经典阅读热潮悄然兴起，再次凸显马克思主义经典著作编译的重要意义和时代价值。习近平总书记在中央政治局第五次集体学习时指出：“要深化经典著作研究阐释，推进经典著作宣传普及，让理论为亿万人民所了解所接受，画出最大的思想同心圆。”准确理解习近平总书记这一重要论述，需要我们深刻把握研究、阐释经典著作的时代要求，进一步加强经典著作宣传普及，使广大人民群众更深刻地感悟马克思主义的真理力量和斗争精神。

恩格斯曾说：“一个民族要想站在科学的最高峰，就一刻也不能没有理论思维。”理论思维能力不是天生的，而是后天培养和训练出来的。马克思主义经典著作是人类思想的精华，它深刻揭示了自然界、人类社会、人类思维发展的普遍规律。习近平总书记在2011年中央党校春季学期第二批入学学员开学典礼上强调，“阅读经典著作，本身就是增长知识、开阔眼界、增加思想深度和训练思维方式的过程，就是培养高瞻远瞩的战略洞察力和脚踏实地的工作作风的过程”。广大党员干部要提高斗争能力，必须高度重视通过学习马克思主义经典著作来提高自己的理论思维能力。

当今世界正处于百年未有之大变局，我们党领导的伟大斗争、伟大工程、伟大事业、伟大梦想正在如火如荼地进行，改革发展稳定任务艰巨繁重，我们面临着难得的历史机遇，也面临着一系列重大风险考验。各级领导干部要想在这些风险、困难和挑战面前赢得优势、赢得主动、赢得未来，就必须坚定马克思主义信仰和共产主义理想，不断提高运用马克思主义分析和解决实际问题的能力，不断提高运用科学理论指导我们应对重大挑战、抵御重大风险、克服重大阻力、化解重大矛盾、解决重大问题的能力，以更宽广的视野、更长远的眼光来思考把握未来发展面临的一系列重大问题，这就迫切要求领导干部自觉增强学习和运用马克思主义的本领，掌握马克思主义的斗争精神。广大党员干部特别是领导干部要学好用好《共产党宣言》等马克思主义经典著作，坚持学以致用、用以促学，原原本本学，熟读精思、学深悟透，熟练掌握马克思主义立场观点方法，不断提高马克思主义理论素养。因此，我们要系统掌握和努力实践马克思主义理论，真正把马克思主义这个看家本领学精悟透运用好，提升自己的斗争能力，并推动马克思主义不断发展。

提高把思想理论转化为实践的斗争能力，画出最大的思想同心圆，是坚持和发展马克思主义的现实要求，也是实现中华民族伟大复兴这一中国梦的思想基础。马克思主义经典著作卷帙浩繁，对于广大干部、群众来说，学习要突出重点。我们提倡读马列经典著作，并不是一定要求每位干部去全面读《马克思恩格斯全集》《列宁全集》或《马克思恩格斯文集》《列宁专题文集》。学马列要精，要管用。“精”，是指要读经典著作，经典篇目；“管用”，就是要结合具体、实际工作，有针对性、有目的地学以致用。例如，从总体上把握马克思主义，需要读

《马克思主义的三个来源和三个组成部分》；掌握无产阶级的革命理论，要读《共产党宣言》；了解马克思主义哲学世界观，要读《哲学笔记》《唯物主义和经验批判主义》《反杜林论》《路德维希·费尔巴哈和德国古典哲学的终结》；掌握马克思主义政治经济学，要读《政治经济学批判》《资本论》等。因此，我们第一辑选择了十本原著，组织国内有关院校的权威专家撰写导读，并由红旗出版社公开出版这批学习马克思主义经典著作的权威性辅导教材。

马克思主义是认识世界、改造世界的强大思想武器。在人类思想史上，没有一种思想理论像马克思主义那样对人类产生了如此广泛而深远的影响。原原本本学习和研读马克思主义经典著作，不断深化对共产党执政规律、社会主义建设规律、人类社会发展规律的认识，不断提升思想水平和斗争能力，真正把马克思主义这个看家本领学精悟透运用好，我们就能更有定力、更有自信、更有智慧，在习近平新时代中国特色社会主义思想指导下，实现“两个一百年”奋斗目标，确保中华民族伟大复兴的巨轮始终沿着正确航向破浪前行，胜利驶向光辉的彼岸。

红旗文稿杂志社社长 顾保国

2019年11月

目录

前　言

《家庭、私有制和国家的起源》是弗里德里希·恩格斯的一部关于古代社会发展规律和国家起源的著作，是马克思主义国家学说代表作之一。在本书中，恩格斯着重论述了人类史前各阶段文化的特征、早期的婚姻和从原始状态中发展出来的几种家庭形式，指出一夫一妻制家庭的产生和最后胜利乃是文明时代开始的标志之一；阐述了原始社会的基本特征，分析了原始社会解体的过程和私有制、阶级的产生；揭示了国家的起源、阶级本质及发展和消亡的规律，国家是阶级矛盾不可调和的产物，是经济上占统治地位的阶级进行政治统治的工具，是凌驾于社会之上而且日益与社会脱离的特殊公共权力，其作用是协调各阶级的矛盾，国家随阶级的产生而产生，也必将随阶级的消亡而消亡。

本书是恩格斯运用唯物史观研究国家的重要成果，它科学地阐明了家庭、私有制、阶级的起源与国家产生的关系，极大地丰富了马克思主义的政治学说。

Reading & Interpretation
大家写小书·马恩经典著作新读

第 一 章
写作背景

恩格斯的《家庭、私有制和国家的起源》(以下简称《起源》),是适应时代和无产阶级斗争发展需要而写的,是一部系统阐述历史唯物主义特别是马克思主义社会发展观和国家理论的代表作。

《起源》写作于1884年3月至5月,同年10月在瑞士苏黎世出版单行本,后来在德国出版并被翻译成多种语言文字。1892年,恩格斯写了《新发现的群婚实例》一文,作为本书的附录。

一、完善和发展了历史唯物主义理论体系和马克思主义国家理论

对人类社会从原始社会向文明社会的历史发展及其规律的科学研究和阐述,是历史唯物主义的重要内容。马克思和恩格斯从19世纪40年代就开始注重对原始社会的研究。19世纪中叶,民族学、人类学研究取得的重要进展,为马克思和恩格斯研究原始社会的发展、验证完善历史唯物主义创造了条件。1877年,美国民族学家和人类学家路易斯·亨利·摩尔根《古代社会》一书出版。摩尔根主要研究原始社会的历史,他根据自己对美国印第安人以及澳大利亚等国的婚姻、亲属关系、民族制度的长期研究和观察,写作了《古代社会》一书。马克思对摩尔根的研究成果高度重视,在1881至1882年间研读《古代社会》时,做了详细的摘录和批语,并且计划用唯物史观阐述摩尔根的研究成果。但是,马克思还没有实现这个心愿就逝世了。恩格斯对于摩尔根的《古代社会》同样重视,认为是"一本像达尔文的著作对于生物学那样具有决定意义的

书”①。马克思逝世后，恩格斯在整理马克思的手稿时，发现了马克思对摩尔根《古代社会》一书所做的摘录和批语。恩格斯研究后认为，历史唯物主义对于摩尔根的研究具有指导意义，而摩尔根的研究是对历史唯物主义的科学证明，“摩尔根在美国，以他自己的方式，重新发现了40年前马克思所发现的唯物主义历史观，并且以此为指导，在把野蛮时代和文明时代加以对比的时候，在主要点上得出了与马克思相同的结果”②。为了进一步发展历史唯物主义，实现马克思的遗愿，恩格斯认为应在此基础上写一部阐述唯物主义的历史观和国家理论的著作。为此，恩格斯根据马克思的《路易斯·亨·摩尔根〈古代社会〉一书摘要》，结合他本人多年研究的成果，写就了《起源》一书。

二、批判唯心主义历史观和形形色色的国家理论

17世纪中叶以来，资本主义制度先后在西欧和北美得到确立。资产阶级学者为了维护资本主义制度，竭力鼓吹各种唯心主义社会学说，论证资本主义永世长存。比如，论证父权制家庭是最古老的形式，并把它同近代资产阶级的家庭相等同，等等。

19世纪初，面对社会主义和工人运动的蓬勃兴起，资产阶级学者竭力掩饰资本主义社会的固有矛盾和种种弊端，大肆宣扬私有制自人类出现起就已经存在，甚至提出原始社会就出现了资本。比如，英国资产阶级经济学家罗·托伦斯就曾

① 《马克思恩格斯文集》第10卷，北京：人民出版社，2009年，第512页。

② 中共中央组织部，中央宣传部，中共中央编译局编：《马列主义经典著作选编（党员干部读本）》，北京：党建读物出版社，2011年，第135页。

说："在野蛮人用来投掷他所追逐的野兽的第一块石头上，在他用来打落他用手摘不到的果实的第一根棍子上，我们看到占有一物以取得另一物的情形，这样我们就发现了资本的起源。"[①]而在国家这一政治制度核心问题上，资产阶级学者则把国家说成是永恒存在而不可侵犯的，"国家学说被用来为社会特权辩护，为剥削的存在辩护，为资本主义的存在辩护"[②]。1871年巴黎公社革命失败后，资产阶级进一步掀起了鼓吹私有制、反对科学社会主义和历史唯物主义的浪潮。例如，德国资产阶级经济学家威廉·罗雪尔鼓吹说：私有财产权的合理性，是根据每个工人可以把他的劳动果实或者消费掉或者储蓄起来这个天赋权利而发生的。又如，资产阶级经济学家约翰·穆勒竭力为私有制辩护，认为私有财产的原则不一定会和那些自然的和社会的罪恶联系着，等等。

马克思和恩格斯一贯重视在工人运动发展过程中，清除资产阶级的社会历史发展观和国家理论的影响，捍卫历史唯物主义和科学社会主义学说。到19世纪下半叶，随着无产阶级革命形势的深入发展，这一任务显得更为重要和迫切。因此，恩格斯撰写了《起源》。

知识链接 ……

★ 历史唯心主义 ★

历史唯心主义是把社会现象及其发展的终极原因归结为精神

①《马克思恩格斯全集》第47卷，北京：人民出版社，1979年，第170页。
②《列宁专题文集：论辩证唯物主义和历史唯物主义》，北京：人民出版社，2009年，第283页。

因素的社会历史观，又称唯心史观，是与历史唯物主义相对立的历史观。历史唯心主义是从社会意识决定社会存在的错误的基本点出发，把人们的思想动机、杰出人物的主观意志或某种超自然的神秘力量看作是社会历史发展的根本原因，否认社会发展有其自身固有的客观规律，否认阶级斗争规律，否认人民群众在历史上的决定作用。历史唯心主义掩盖历史发展的真相，通常代表剥削阶级的利益。

三、为指导无产阶级革命斗争

19世纪70年代以后，随着马克思学说得到广泛传播，欧美各国的社会主义工人政党先后成立，国际工人运动正积蓄力量并酝酿着新的斗争。

面对工人运动的新发展，各国资产阶级竭力施展各种手段进行政治统治。一方面，加紧对社会主义者和工人群众的镇压。例如，德国俾斯麦政府于1878年10月21日制定了《镇压社会民主党企图危害治安的法令》的"非常法"，对社会民主党人实施空前的镇压。另一方面，为了迷惑工人运动，采取某些社会改良措施，制造"国家社会主义"骗局。而资产阶级学者则鼓吹所谓"讲坛社会主义"，强调国家是超阶级的组织，可以调和对立阶级的利益，逐步实行"社会主义"，企图把社会主义运动纳入资产阶级改良主义的轨道。如同恩格斯所揭露的那样，最近"出现了一种冒牌的社会主义，它有时甚至堕落为某些奴才气，无条件地把任何一种国有化，甚至俾斯麦的国有化，都说成社会主义的"①。与此同时，资产阶级政府还竭力拉

①《马克思恩格斯文集》第3卷，北京：人民出版社，2009年，第558页。

拢社会主义运动中的机会主义者，利用他们反对无产阶级革命，抹杀国家的阶级本质，鼓吹合法改良。由德国社会民主党的卡·赫希柏格、爱·伯恩施坦和卡·奥·施拉姆组成的苏黎世三人团公开声称，“正是在现在，在反社会党人法的压迫下，党表明，它不打算走暴力的、流血的革命的道路，而决定……走合法的即改良的道路”①。在英国，自诩为“社会主义者”的费边社（一个工人社会主义派别——编者注）分子，也宣扬国有化和阶级合作是渐进到社会主义的唯一道路。同时，这些机会主义者还宣扬资本主义国家机器是超历史、超阶级的工具，或者把当时的国家当作“民主”的圣物而加以顶礼膜拜。

消除各种机会主义错误思潮的影响，揭示人类社会历史发展的客观规律，系统阐述马克思主义在家庭、私有制和国家问题上的基本观点，进而阐明无产阶级和劳动人民的革命斗争性质、方式、道路、方向和目标，已成为无产阶级革命运动十分迫切的任务。这也是恩格斯写作《起源》的直接出发点。

知识链接 ……………………………………………………

★ 机会主义 ★

机会主义，也称投机主义，就是为了达到目的而不择手段，突出的表现是不按规则办事，视规则为腐儒之论，其最高追求是实现自己的目标，以结果来衡量一切，而不重视过程。机会主义有以下两种表现形式：一是右倾机会主义，表现为思想落后于实际，不能随着变化了的情况前进，而是拘泥保守，停步不前，甚至企图开倒车；只

①《马克思恩格斯文集》第3卷，北京：人民出版社，2009年，第480页。

顾眼前的暂时的局部利益，而不顾工人阶级长远的全局的利益。另一种是左倾机会主义，表现为思想超越客观过程的一定阶段，离开了当时大多数人的实践，离开了当时的现实性，堕入空想和盲动。

延伸阅读

（1）李义天：《马克思〈路易斯·亨·摩尔根一书摘要〉研究读本》，北京：中央编译出版社，2013年。

（2）《列宁专题文集：论辩证唯物主义和历史唯物主义》，北京：人民出版社，2009年。

（3）《马克思恩格斯文集》第3卷，北京：人民出版社，2009年。

深度思考

（1）如何理解摩尔根的研究是对历史唯物主义的科学证明？

（2）中国共产党在新民主主义革命时期，曾出现过哪些机会主义？

（3）中国共产党是如何科学地运用马克思主义理论指导中国革命实践的？

Reading & Interpretation

大家写小书·马恩经典著作新读

第二章

内容介绍

一、全书基本内容

《起源》包括1884年第一版序言、1891年第四版序言，以及正文九章。在正文中，第一、二章主要根据摩尔根的研究成果，探讨了人类发展的三个阶段及与之相对应的家庭婚姻形态；第三至八章分别以易洛魁人、希腊人、罗马人和德意志民族为个案，追溯了氏族组织的特征，以及从氏族向国家演进的历史，由此说明了国家的特征、历史类型、形成方式。第九章是总结部分，系统论述了一系列历史唯物主义基本原理和马克思主义国家理论。全书主要包括以下几个方面的基本观点：

1. 两种生产理论

马克思和恩格斯在《德意志意识形态》一书中已经提出两种生产理论，在《起源》第一版序言中，恩格斯进一步完整表述了这一理论，将生活资料的生产和人自身的生产看作是制约人类社会发展的核心要素，由此阐明了人类社会从血缘关系向阶级关系演进的历史条件和社会基础。他指出："根据唯物主义观点，历史中的决定性因素，归根结底是直接生活的生产和再生产。但是，生产本身又有两种。一方面是生活资料即食物、衣服、住房以及为此所必需的工具的生产；另一方面是人自身的生产，即种的繁衍。"[①]在生产力水平低下的原始社会早期，决定人类社会制度的主要因素是血缘关系，但随着生产力的发展和社会分工的复杂化，社会制度越来越多地受劳动

① 中共中央组织部，中央宣传部，中共中央编译局编：《马列主义经典著作选编（党员干部读本）》，北京：党建读物出版社，2011年，第136页。

的发展阶段和所有制的支配。

2. 家庭的起源和历史演变

恩格斯采用摩尔根的历史分期方法，将人类历史划分为蒙昧时代、野蛮时代和文明时代，并考察了各个历史时代及其不同发展阶段家庭形式的历史变迁，指出，家庭作为经济细胞和社会生活的组织形式之一，不是从来就有的，它的产生、存在和发展受一定的社会经济关系的制约。人类社会的家庭形式随着习俗和生产的发展依次经历了四种形式：血缘家庭、普那路亚家庭、对偶制家庭、专偶制家庭。

3. 私有制和阶级的起源

恩格斯以摩尔根发现的北美印第安人部落易洛魁人氏族为依据，运用古代希腊人、罗马人、凯尔特人和德意志人氏族的大量历史资料，从三次社会大分工的发生和发展中解析了私有制和阶级产生的原因及其过程。他强调，劳动分工是私有制产生的社会前提，剩余产品的增加是私有制产生的物质前提，劳动个体化的趋势是决定性因素，交换的发展促进了私有制的普遍化。私有制的发展使得社会分裂为阶级。私有制和阶级不是从来就有的，而是社会生产发展到一定阶段的产物，是一种历史范畴，因此，它们的灭亡也是历史的必然。

4. 国家的起源和实质

恩格斯分析和揭示了国家的起源，阐明国家是在社会分工发展、家庭关系发展、私有制和阶级产生、氏族制度瓦解的基础上产生的，并进一步分析和阐述了国家产生的基本形式。

恩格斯指出了国家的本质，即国家不是从外部强加于社会的一种力量，也不是“伦理观念的现实”，而是社会在一定发展阶段上的产物，是社会分工和私有制演进、阶级和阶级斗争发展的结果。国家本质上是经济上占统治地位的阶级用来镇压和剥削被压迫阶级的工具，尽管国家表现这种本质的形式在不同的历史阶段有所不同，但是，国家作为阶级统治和奴役工具的属性却具有历史一贯性。他强调，国家作为一种历史现象，将随着私有制和阶级的消灭而消亡。

知识链接

★ 国家起源相关学说 ★

关于国家的起源，历史上众说纷纭，莫衷一是。有自然说、契约说、武力说、私有制说、氏族说等。其中，最具有代表性的有契约论、神权论、暴力论。契约论是资产阶级革命时期最有影响的国家学说，契约说的代表人物有格劳秀斯、霍布斯、洛克等，其中又以卢梭所著《社会契约论》最为典型；契约论对资产阶级革命和资产阶级国家的建立都产生过重要影响。神权论认为，国家是根据神的意志建立的，国家的权力来源于神（天、上帝）。这种理论在东西方奴隶社会和封建社会都占有重要地位。暴力论认为，国家起源于掠夺和征服，强调暴力是社会发展的决定性因素，政治上的奴役先于经济发展的过程，国家的产生不是社会内部发展的结果。

二、全书的要点解析

1. 史前各文化阶段

恩格斯采纳摩尔根所提出的分期法，将过去的人类历史分为三个主要时代即蒙昧时代、野蛮时代和文明时代，并把每一时代划分为低、中、高三个阶段，每个阶段又有着各自的标志性事物。

在蒙昧时代的低级阶段中，人类大多居住在热带或亚热带的森林中，部分人则依然在树上居住。《庄子·盗跖》篇记载："古者禽兽多而人民少，于是民皆巢居以避之。昼拾橡栗，暮栖木上，故命之曰有巢氏之民。"到了蒙昧时代的中级阶段时，人类已经掌握了生火的方法，并开始使用熟食，这一时期与我国历史中所描述的燧人氏时代相对应。弓箭的发明则成为蒙昧时代的高级阶段的标志。从人类掌握了制陶术时起，便进入野蛮时代的低级阶段。到了野蛮时代的中级阶段时，东大陆开始畜养家禽；西大陆开始靠灌溉栽培食用植物，以及在建筑上使用干砖和石头。野蛮时代的高级阶段则是以铁矿冶炼为标志。

这些看似简单、枯燥的总结实际上正是唯物主义历史观的体现，因为划分不同时代以及每个时代不同阶段的标准，是以人类社会生产力（简单地说，生产力就是人们创造社会财富的能力）的进步作为依据的。正如马克思所说："手推磨产生的是封建主的社会，蒸汽磨产生的是工业资本家的社会。"[①]人类社会进步的根本动力正是社会生产力的不断提高。从远古时期到现代社会，人类一切活动所围绕的核心就是生存与繁衍，只不过每个时代的生产力水平各不相同。从蒙昧社会依靠打猎这种食物来源极不稳定的方式来维持生计，再到从事种植和畜牧养殖使食物有了稳定来源。摩尔根说道："一切生物之中，只有人类达到了几乎绝对控制食物生产的地步。人类进步的一切大的时代，是跟生活来源扩充的各时代多少直

①《马克思恩格斯选集》第1卷，北京：人民出版社，2012年，第222页。

接相符合的。”[①]恩格斯总结道：“蒙昧时代是以获取现成的天然产物为主的时期；人工产品主要是用做获取天然产物的辅助工具。野蛮时代是学会畜牧和农耕的时期，是学会靠人的活动来增加天然产物生产的方法的时期。文明时代是学会对天然产物进一步加工的时期，是真正的工业和艺术的时期。”[②]

2. 家庭

家庭是一切社会中最基础的单位，它的组成形式从根本上影响着社会结构。为了弄清古代社会的面貌，摩尔根在易洛魁人的部落中度过了一生中大部分的时光。通过观察，他发现易洛魁人的亲属制度（亲属成员之间使用不同的称呼方式以区别远近亲疏的制度）与他们实际存在的家庭关系（亲属成员之间因血缘亲疏的差别而有着不同的权利与义务）相矛盾。在现代的家庭关系中，亲属之间使用不同的称呼不仅表现了血缘关系的远近，而且直接涉及相互之间的权利与义务关系。亲属成员之间血缘关系越近，不仅意味着享有更多的权利，同时也要承担更多的义务。最明显的例子就是在财产继承上，死者的遗产在一般情况下，是由血缘最近的亲属继承，血缘较远的则无权继承；而当未成年人失去父母需要他人抚养时，一般情况下也由血缘最近的亲属履行抚养义务。因此，亲属制度出现的意义就在于从称呼上表明亲属成员之间血缘关系的远近，以便明确他们的权利与义务。

易洛魁人实行的是一种双方可以轻易解除的个体婚姻，

①《马克思恩格斯选集》第4卷，北京：人民出版社，2012年，第29页。

②《马克思恩格斯选集》第4卷，北京：人民出版社，2012年，第35页。

摩尔根把它称为“对偶制家庭”。这种夫妻关系的子女是众所周知和大家公认的；对谁应该用父亲、母亲、儿子、女儿、兄弟、姊妹等称呼是不会有疑问的。但在实际生活中易洛魁人的男子，不仅把自己的亲生子女也称为自己的儿子和女儿，而且把他们兄弟的子女也称为自己的儿子和女儿，而男方的子女都称他为父亲。另一方面，他却把自己姊妹的子女称为自己的外甥和外甥女，他们称他为舅父。相反地，易洛魁人的女子，把自己姊妹的子女和她自己亲生的子女都称为自己的儿子和女儿，而女方的子女都称她为母亲。她把自己兄弟的子女称为自己的内侄和内侄女，她自己被称为他们的姑母。同样，兄弟的子女互称兄弟姊妹，姊妹的子女们也互称兄弟姊妹。反之，一个女人的子女和她兄弟的子女，则互称为表兄弟和表姊妹。从上述描述中我们可以看出，当兄弟或姊妹与自己性别相同时，则视兄弟或姊妹的子女为自己的亲生子女。此时，以不同称呼来区分血缘远近亲疏的亲属制度便失灵了。当兄弟或姊妹与自己性别不同时，才将兄弟或姊妹的子女视为自己的非亲生子女。此时，亲属制度才发挥应有的作用。

另外一处体现亲属制度与家庭关系矛盾的例子，则是发生在夏威夷群岛上，在恩格斯所处的时代，依然存在着这样一种家庭形式，父亲和母亲、兄弟和姊妹、儿子和女儿、舅父和舅母、外甥和外甥女、内侄和内侄女等在血缘关系上有着远近亲疏的区别，但该岛上所流行的亲属制度，又是同当地事实上存在的家庭形式完全对立的。就是说，那里凡是兄弟姊妹的子女，在称呼上都被叫作兄弟姊妹。由此可见，夏威夷岛上的亲属制度已经完全失去了其存在的价值，实际上成员间的血缘远近亲疏，已经无法从彼此之间的称呼上区别开来了。

为什么会出现这种情况？摩尔根解释道："家庭是一个能动的要素；它从来不是静止不动的，而是随着社会从较低阶段向较高阶段的发展，从较低的形式进到较高的形式。反之，亲属制度却是被动的；它只是把家庭经过一个长久时期所发生的进步记录下来，并且只是在家庭已经根本变化了的时候，它才发生根本的变化。"①这句话表明，家庭成员之间的权利义务关系是随着家庭关系的改变而不断变化的，从最初的全体成员不分血缘上的远近亲疏，都拥有着同样的权利义务；再到后来，权利义务因血缘远近亲疏而出现差别。亲属制度作为一种从称呼上表示成员间血缘关系的表现方式，总是被动地配合、适应着一定的家庭关系。当家庭关系由量变达到质变时，亲属制度才被动地随之发生改变。因此，是家庭关系决定亲属制度，而不是相反。马克思也说过："当家庭继续发展的时候，亲属制度却僵化起来；当后者以习惯的方式继续存在的时候，家庭却已经超过它了。"②这说明了家庭关系变化在前，亲属制度变化在后，亲属制度的产生具有滞后性。在易洛魁人中和夏威夷群岛上所存在的家庭关系均先进于当地存在的亲属制度，而亲属制度却并未发生改变，以配合、适应家庭关系，所以才会出现家庭关系与亲属制度矛盾的现象。

3. 群婚制家庭

既然之前已经说过，亲属制度是由家庭关系所决定的，有什么样的家庭关系就会有什么样的亲属制度。那么，与夏威

①《马克思恩格斯选集》第4卷，北京：人民出版社，2012年，第37页。

②《马克思恩格斯选集》第4卷，北京：人民出版社，2012年，第38页。

夷群岛上的亲属制度相适应的家庭关系又该是什么样的呢?在摩尔根看来,既然存在着不分彼此共同称呼的亲属制度,那么必然曾存在着一个不分彼此的家庭关系,他认为:"曾经存在过一种原始的状态,那时部落内部盛行毫无限制的性关系,因此,每个女子属于每个男子,同样,每个男子也属于每个女子。这种原始状态,早在上一个世纪就有人谈过,不过只是一般谈谈而已;只有巴霍芬才第一个认真对待这个问题,并且到历史的和宗教的传说中寻找这种原始状态的痕迹,这是他的伟大功绩之一。"[①]摩尔根所描述的就是群婚制家庭,不过上述观点即便在现代社会中也会有很多人无法接受,而在恩格斯所处的时代更是受到不少批评与指责。一些人企图用动物之间的一夫一妻制来证明,人作为高级动物是不可能存在着群婚时代的。但这些说法都遭到了恩格斯的反驳,他通过埃斯潘纳斯的著作《论动物的社会》一文中的论点来证明,以动物社会为例,不但不能起到反驳的作用,反倒是证明了人类早期要想组成群体,就必然要在两性结合上反对一夫一妻制。埃斯潘纳斯的著作《论动物的社会》一文中有以下论述:"群是我们在动物中所能看到的最高的社会集团。它大概是由家庭构成的,但是家庭和群一开始就处在对抗之中,它们是以反比例发展的。""在家庭紧密结合的地方,群只是一种稀有的例外。反之,在自由的性关系或多偶制盛行的地方,群差不多是自动地形成的……为了使群能够组成,家庭的纽结必然要放松,个体必然要重新自由。因此,我们在鸟类中才极少见到有组织的群……反之,我们在哺乳动物中之所以能发现在某种程度

①《马克思恩格斯选集》第4卷,北京:人民出版社,2012年,第38—39页。

上有组织的社会，正因为个体在这里没有被家庭所吞没……所以，群的集体感在其发生时的大敌，莫过于家庭的集体感。我们可以毫不迟疑地说：如果说一种比家庭更高级的社会形式已经发展起来，那么这只是由于它把遭受了彻底变化的家庭容纳于自身之中才能发生；这并不排除，这些家庭正是由于这一点以后才有可能在无限优越的环境中重新组成。”[1]

由此可见，高等动物中因雄性对配偶的单独占有的欲望，特别是交配期内雄性间相互嫉妒，对共同生活的群体起着削弱或者暂时瓦解的作用，因此，群体和家庭是相互对立的。成年雄性的相互宽容、嫉妒的消除是形成较大的持久的群体的首要条件。人类从森林古猿向现代人进化的过程中，需要以群体的联合力量和集体行动来弥补个体自卫能力的不足。当然，在现代人看来，使雄性之间消除嫉妒、共享配偶是一件不可思议的事情。但实际上，雄性之间的嫉妒心理是一种较晚发展起来的情感。因为在群婚制度中，男女之间并没有形成长期结合的关系，因此，在男女可以随意发生性关系的观念下，嫉妒这种感情因素是不会出现的。同样，血亲婚配的观念也是如此。不仅兄弟和姊妹最初曾经是夫妇，而且父母和子女之间的性关系在恩格斯所生活的年代，在许多民族中也还是允许的。我国历史上昭君出塞的故事就印证了这一点，王昭君奉汉元帝之命出塞和亲，嫁给南匈奴的呼韩邪单于。两年之后，呼韩邪单于死亡。按照匈奴的祖制，王昭君又嫁给了呼韩邪的长子复株累单于，并生育了两个女儿。十一年后，第二个丈夫也先她而去了，她又被命令嫁给新单于，复株累的长

①《马克思恩格斯选集》第4卷，北京：人民出版社，2012年，第41页。

子，也就是呼韩邪的孙子。

在群婚制家庭形式下，一群男子与一群女子互为夫妻，在这种家庭中，孩子的亲生父亲无法确定，只能确定其母亲。《吕氏春秋·恃君览》说，“昔太古尝无君矣，其民聚生群处，知母不知父，无亲戚、兄弟、夫妻、男女之别，无上下长幼之道，无进退揖让之礼”。虽然母亲将共同家庭的一切子女视为自己的亲生子女，对他们负担相同的义务，但她仍然可以把自己的亲生子女同其余一切子女区别开来。由此可知，在群婚制度下，世系只能从母亲方面来确定。这就是历史上曾存在过的母系社会的由来，这种从母亲方面确认世系的情况和随着时间的进展由此而发展起来的继承关系叫作母权制。一切蒙昧民族和处在野蛮时代低级阶段的民族，实际上都是这样。

4. 血缘家庭

通过对历史的研究，群婚制在向个体婚制发展的过程中，一个显著的特点就是两性结合越来越多地受到血缘关系的影响，并且这种血缘关系限制的范围也越来越大。原先那种杂乱的、毫无任何约束的性交关系下所形成的家庭，逐渐过渡到了血缘家庭。恩格斯在原著中写道：“在这里，婚姻集团是按照辈分来划分的：在家庭范围以内的所有祖父和祖母，都互为夫妻；他们的子女，即父亲和母亲，也是如此；同样，后者的子女，构成第三个共同夫妻圈子。而他们的子女，即第一个集团的曾孙子女们，又构成第四个圈子。这样，这一家庭形式中，仅仅排斥了祖先和子孙之间、双亲和子女之间互为夫妻的权利和义务（用现代的说法）。同胞兄弟姊妹、从（表）兄弟姊妹、再从（表）兄弟姊妹和血统更远一些的从（表）兄弟姊妹，都互为兄弟姊妹，正因为如此，也一概互为夫妻。兄弟姊妹的关系，在家庭的这一阶段上，也自然而然地包括相互的性关系。这种家庭的典型形式，应该是一对配偶的子孙中每一代都互为兄弟姊妹，正因为如此，也互为夫妻。”[①]即辈数不同不可为夫妻，辈数相同则自然为夫妻。此时，由于辈分这一限制因素的出现，使男女双方结合已经不再像过去那样杂乱无章了。

5. 普那路亚家庭

随着社会的发展，家庭形式也在不断发生改变，主要表现为两性结合的限制因素进一步扩大。普那路亚家庭是继血缘家庭之后的又一个新的家庭形式。血缘家庭的第一个进步在于排除了父母和子女之间的相互性交关系，而普那路亚家庭的进步就在于对于姊妹和兄弟也排除了这种关系，并且这一进步的影响是重大的，因为它直接导致了氏族制度的产生。恩格斯说道：“这一进步是逐渐实现的，大概先从排除同胞的（即母方的）兄弟姊妹之间的性关系开始，起初是在个别场合，以后逐渐成为惯例（在夏威夷群岛上，在本世纪尚有例外），最后甚至禁止旁系兄弟姊妹之间结婚，用现代的称谓来说，就是禁止同胞兄弟姊妹的子女、孙子女以及曾孙子女之间结婚。”[②]因此，为了避免旁系之间的婚姻，就有了区分外甥和外甥女、内侄和内侄女、表兄弟和表姊妹这些类别的必要，这样就可以从成员之间的称呼上明确得知男女双方的血缘关系，而这些类别的称呼在毫无限制、杂乱婚姻的家庭制度之下是没有任何意义的。

---

①《马克思恩格斯选集》第4卷，北京：人民出版社，2012年，第44页。

②《马克思恩格斯选集》第4卷，北京：人民出版社，2012年，第46页。

6. 对偶家庭

继普那路亚家庭之后出现的是对偶家庭，这种家庭表现为一男一女在或长或短的时期内同居在一起。其产生的原因是氏族内部禁止血缘亲属结婚的限制范围越来越广，起初是血缘较近的，后来影响到血缘较远的亲属，最后则是姻亲关系。过去那种两性间毫无限制的群婚就不再可能发生了，禁止血缘婚姻的规定使得群婚被对偶婚所排挤掉。它是群婚制向一夫一妻制过渡的中间环节，产生于蒙昧时代和野蛮时代交替期，大部分是在蒙昧时代高级阶段，只有个别地方是在野蛮时代的低级阶段。不过这种婚姻形式作为个别现象在群婚制的时期就曾存在过。

对偶家庭在早期阶段尚处于以女子为中心的母系社会中，这首先是由于在早期的群婚制下，女子可以同多个男子发生性关系，这就导致孩子的父亲不能确定，只能确定孩子的母亲，所以世系就只能从母亲方面来确定。其次，由于女子和男子的社会分工不同。女子负责农业经营，男子负责打猎，从食物来源上看，女子获取食物的方式更加稳定可靠，所以在日常生活中也发挥着更重要影响。正是由于这两方面的原因，使得女子在氏族中占据主导地位。此时，男女双方的婚姻并不牢固，对女子的贞操权也不重视，男女双方虽然在一起同居，但却没有形成自己的家庭经济或者说此时的家庭还并不是作为一个独立存在的经济单位，而共产制家庭经济才是当时的主要形式，它一直盛行到野蛮时代中级阶段的后期。

随着生产力的发展，畜群的数量大大增加，改变了以往需要每天以打猎为生的生活方式，那么此时，对于依靠繁殖而非打猎获取的食物该如何分配呢？最初依照以往的习惯，这些新财富无疑归氏族所有。但随着牲畜、金属加工、纺织以及田间耕作的采用，情况发生了改变。奴隶制度开始出现，在此之前，由于生产力水平的低下，奴隶从事劳动生产所创造的财富还不能弥补蓄养奴隶的费用，后来由于生产力的提高，使奴隶从事生产劳动变得有利可图，特别是在畜群完全转归家庭所有后，需要有更多的人来看管牲畜，对奴隶的需求也大大增加。也正是随着财富的增长，私有制（即生产资料如土地、资源、工具等被少数人占有的制度）开始出现在历史的舞台上，以往那种人人平等、民主、自由的时代暂时告一段落。财富的分配不均导致有着不同经济地位的阶级开始出现，权力成为统治阶级剥削、压迫被统治阶级的独有手段，一个人数与其占有财富成反比例的金字塔，开始牢固地建立在私有制的土壤之上。

当财富在转归家庭私有后，就使得对偶婚出现了一个新的因素，即生身父亲。这一因素的出现是由于按照当时家庭内部的分工，丈夫负责获取食物以及为此所必要的劳动工具，因此，他对劳动工具也具有所有权，依照当时的社会习惯，家畜作为新的食物来源，也自然归丈夫所有，奴隶作为新的劳动工具也是如此，这使女性在家庭中的经济地位开始下降，除了从前受人尊敬的社会地位下降以外，母权制的继承制度也开始动摇。

依照母权制的规定，氏族成员死亡以后是由他的同氏族亲属继承的，财产必须留在氏族以内。最初，由于构成财产的物品不多，在实践上大概就转归最亲近的同氏族亲属所有，就是说转归母方的血缘亲属所有。但是，男性死者的子女并不属于死者的氏族，而是属于他们的母亲氏族，而男性死者的财产应该留在自己的氏族内。所以，畜群的所有者死亡以后，他的畜群首先应当转归他的兄弟姊妹和他的姊妹的子女所有，或者转归他母亲的姊妹的子女所有。他自己的子女是不许继承的。因此，要想把自己的私有财产保留在自己的家庭中并且使自己的子女得以继承，那么就必须废除母权制。而要废除母权制也并非一件难事，只需规定以后氏族男性成员的子女应该留在本氏族内，而女性成员的子女应该离开本氏族，而转到他们父亲的氏族中去，这样就废除了按女系计算世系的办法和母系的继承权，确立了按男系计算世系的办法和父系的继承权。以父亲氏族的族姓之一来给子女取名，用这种方法把他们列入父亲的氏族，以便他们能继承自己的父亲的遗产，这种方式到现在还在影响着我们的社会。

在母权制被推翻之后便进入了父系社会时期，父权统治的第一个表现就是建立家长制家庭，妇女在家庭中的经济地位下降，其次，就是妻子的贞操权被严格要求，这不仅是为了确保子女的血缘的纯正性，而且也是男子权威的体现。此时家庭的经济形式表现为家长制家庭公社，这种家庭的特点是它包括一个父亲所生的数代子孙和他们的妻子，他们住在一起，共同耕种自己的田地，衣食都出自共同的储存，共同占有剩余产品。这一时期，因为生产力水平较低，个体小家庭还不可能从公社中分离出来形成独立的经济单位，它只是公社中的一个消费单位。公社处于一个家长的最高管理之下，不过此时家长已经不再由女性担任，家长对外代表公社，有权出让小物品，掌管账目并核对账目，对整个公社的正常经营负责。

他是选举产生的，不一定是最年长者。妇女和她们的工作受主妇领导，主妇通常是家长的妻子。主妇在公社姑娘择婿时也起着重要的而且往往是决定性的作用。但是，最高权力集中在家庭会议，即全体成年男女的会议。家长向这个会议作报告；会议通过各项最后的决定，对公社成员间的争端进行裁判，以及对比较重大的买卖特别是地产的买卖作出决定。[1]不过这种家庭在发展过程中也有着一些改变，到了父系家庭公社晚期，由于金属工具的使用，生产力进一步提高，个人劳动的产品除自身消费之外开始出现剩余。这导致了在家庭公社内部逐渐产生了贫富分化和私有制的萌芽。同一个家庭公社的成员，对财产的占有越来越不平等。公社的少数首领成为特权享受者，占有较多的财富，把养子和战俘变成奴隶，并对妻子进行奴役。与此同时，个体劳动在生产中发挥越来越大的作用，个体小家庭已无须依靠公社集体而能够独立进行生产。个体小家庭开始从公社中分离出来成为独立的经济单位。从前属于氏族和家庭公社的土地，一部分变为个体所有。于是父系家庭公社逐步解体，向农村公社过渡。

7. 一夫一妻制家庭

这种家庭产生于野蛮时代的中级阶段和高级阶段交替的时期，是从对偶家庭中产生的。这种家庭制度的主要目的是为了使女子仅能与自己的丈夫发生性关系，从而确保其所生育的子女在血缘上的纯正性，以便将来子女以亲生的继承人的身份来继承他们父亲的遗产。不过这种建立在男权统治的基础之上的一夫一妻制度，在实践中也仅仅是针对女性而已，

① 参见《马克思恩格斯选集》第4卷，北京：人民出版社，2012年，第68页。

男子在具有一定经济实力的情况下是允许多妻的，并且在离婚时，男子也享有更多的权利，但是这种婚姻的牢固性却比对偶婚要高得多。

“个体婚制是一个伟大的历史的进步，但同时它同奴隶制和私有制一起，却开辟了一个一直继续到今天的时代，在这个时代中，任何进步同时也是相对的退步，因为在这种进步中，一些人的幸福和发展是通过另一些人的痛苦和受压抑而实现的。”①

一夫一妻制的确立显然是受到了经济因素的影响，即个体家庭作为独立的经济单位出现，以及子女对私有财产的继承。在当时的一夫一妻制度下的男女双方的结合，并非是因为双方之间在精神、情感上的相互吸引，甚至也不是对异性生理上的冲动，而仅仅是以经济条件为基础的，正像英雄时代的希腊妇女，她对于男子来说，仍不过是他的婚生的嗣子的母亲、他的主要的管家婆和女奴隶的总管而已。“丈夫在家庭中居于统治地位，以及生育只是他自己的并且确定继承他的财产的子女——这就是希腊人坦率宣布的个体婚制的唯一目的。”②虽然，私有财产的出现是促使对偶婚姻制度向个体婚姻制度转变的主要因素，但也正是由于私有制，使一夫一妻制在现实生活中不可能在真正意义上实现。财富占有与分配的不公，导致出现了一些女奴隶被强制献身于男性以及陷入贫困的自由妇女开始以卖淫这种方式谋生的现象。正如一切事物都有对立面一样，卖淫现象成了一夫一妻制摆脱不掉的另

①《马克思恩格斯选集》第4卷，北京：人民出版社，2012年，第76页。

②《马克思恩格斯选集》第4卷，北京：人民出版社，2012年，第75页。

一面。

被视为蛮族的德意志人对一夫一妻制进行了改造，使得一夫一妻制产生了一个新的进步因素，即过去世界所不知道的现代性爱。“现代的性爱，同古代人的单纯的性要求，同厄洛斯[情欲]，是根本不同的。第一，性爱是以所爱者的对应的爱为前提的；从这方面说，妇女处于同男子平等的地位，而在古代的厄洛斯时代，决不是一向都征求妇女同意的。第二，性爱常常达到这样强烈和持久的程度，如果不能结合而彼此分离，对双方来说即使不是一个最大的不幸，也是一个大不幸”。[①]“在中世纪以前，是谈不到个人的性爱的。不言而喻，形体的美丽、亲密的交往、融洽的性情等等，都曾引起异性对于发生性关系的热望；同谁发生这种最亲密的关系，无论对男子还是对女子都不是完全无所谓的。但是这距离现代的性爱还很远很远”。[②]而这一切的根本原因却是由于德意志人落后的家庭制度——对偶家庭。因为，在对偶家庭中，男子并不处于统治地位，妇女有着更受尊敬和更加自由的地位。相比之下，在丈夫统治下的牢固的个体婚制却并不是以夫妇相爱为前提的。恩格斯写道：“在一切统治阶级中间，婚姻的缔结和对偶婚以来的做法相同，仍然是一种由父母安排的、权衡利害的事情。”[③]

“在今日的资产阶级中间，缔结婚姻有两种方式。在天主教国家中，父母照旧为年轻的资产阶级儿子选择适当的妻子，

①《马克思恩格斯选集》第4卷，北京：人民出版社，2012年，第88页。
②《马克思恩格斯选集》第4卷，北京：人民出版社，2012年，第87页。
③《马克思恩格斯选集》第4卷，北京：人民出版社，2012年，第80页。

其结果自然是专偶制所固有的矛盾得到了最充分的发展：丈夫方面是大肆实行淫游，妻子方面是大肆通奸……相反，在新教国家中，通例是允许资产阶级的儿子有或多或少的自由去从本阶级选择妻子；因此，一定程度的爱可能成为结婚的基础，而且，为了体面，也始终以此为前提，这一点符合新教伪善的精神。在这里，丈夫实行淫游并不那么厉害，而妻子的通奸也比较不那么常见……这种新教的专偶制，即使拿一般最好的场合来看，也只不过是导致被叫做家庭幸福的极端枯燥无聊的婚姻共同体罢了。”①

“在这两种场合，婚姻都是由当事人的阶级地位来决定的，因此总是权衡利害的婚姻……妻子和普通娼妓的不同之处，只在于她不是像雇佣女工做计件工作那样出租自己的身体，而是把身体一次永远出卖为奴隶。”②

面对上述问题，资产阶级的法学家企图用法律来实现男女双方地位平等以及男女双方结婚自由。“现代各文明国家的法律体系越来越承认，第一，为了使婚姻有效，它必须是一种双方自愿缔结的契约；第二，在结婚同居期间，双方在相互关系上必须具有平等的权利和义务。”③不过，“在婚姻问题上，法律，即使是最进步的法律，只要当事人让人把他们出于自愿一事正式记录在案，也就十分满足了。至于法律幕后的现实生活发生了什么事，这种自愿是怎样造成的，法律和法学家都可以置之不问。”④这种纸面上的公平在落实到实践中去的时候，

①《马克思恩格斯选集》第4卷，北京：人民出版社，2012年，第81—82页。

②《马克思恩格斯选集》第4卷，北京：人民出版社，2012年，第82页。

③《马克思恩格斯选集》第4卷，北京：人民出版社，2012年，第83页。

④《马克思恩格斯选集》第4卷，北京：人民出版社，2012年，第84页。

往往会被现实生活中的不平等的经济基础所打破。恩格斯就以劳动契约的缔结为例,揭示劳动者在签订看似平等契约的表面下,掩盖的是不同的阶级地位给予一方的权力,以及这一权力施加于另一方的压迫,即双方实际的经济地位的不平等。在不占有生产资料的情况下,劳动者想要生存就必须向占有生产资料者出卖自己的劳动力,并且只能获得其所创造的劳动成果中的一小部分。为此,经济地位迫使工人甚至把最后一点表面上的平等权利也抛弃掉,这种现象的发生,即使通过法律也仍然无法加以改变。

在古代的共产制家庭经济中,妇女料理家务也被视为公共的、社会所必需的劳动,正如男子在外获取食物一样,男女之间的劳动是被视为同等重要的。后来,私有制出现,个体家庭作为社会上的经济单位后,料理家务成为个体家庭中的私事,只有男子参与到社会活动中去获取食物,这就导致在家庭中,男子的劳动才是家庭成员生存与发展的保证,而女子的劳动仅在个体家庭范围内具有价值,所以无法从社会上获得劳动报酬。这种分工模式决定了女子在家庭中只能依附于男子。因此,在私有制之下,无论是在家庭中的地位还是在社会上的地位,女子都远远低于男子。

现代的工业大生产,给无产阶级的妇女提供了一条参加社会生产的途径,但也给她们带来了一个选择上的难题,如果参加公共劳动获得独立的收入,但这样也就意味着无法再履行自己对家庭中私人事务的义务。所以,当个体家庭作为社会的经济单位时,无疑成为妇女解放的一个重大阻碍。

8. 氏族

在了解古代社会的婚姻与家庭之后，现在需要把目光转移到一个更高的层面上，即人类群体所形成的社会组织。在国家出现以前，它以氏族的形式存在着。之前曾提到过，氏族产生于普那路亚家庭下，它是由一个确定的、彼此间因近亲血缘关系而不能结婚的女系亲属集团组成。摩尔根通过研究证明，美洲印第安人部落内部用动物名称命名的血缘团体，实质上与希腊人的genea［氏族］和罗马人的gentes［氏族］相同。只不过美洲的形式是原始的、落后的，而希腊、罗马的形式则是晚生的、先进的。但在上古时代，希腊、罗马的氏族、胞族和部落的全部社会组织也曾跟美洲印第安人的组织处于同一发展水平。于是，恩格斯得出这样的结论："氏族，直到野蛮人进入文明时代为止，甚至再往后一点，是一切野蛮人所共有的制度（就现有资料而言）。"[①]因此，恩格斯选取了不同民族且发展程度各不相同的氏族，以此来论述氏族制度的兴起和灭亡，以及国家在这一过程中是如何产生的。

9. 易洛魁人的氏族

易洛魁人因其地理位置以及自然条件的制约，使他们的氏族制度虽然达到了顶峰，但却也永远停留在这一阶段上，没有从中发展出使氏族制度灭亡而促使国家产生的新因素。因此，要想了解氏族社会的面貌，以易洛魁人的氏族为例是再合适不过了。

摩尔根以易洛魁人的塞讷卡部落中的八个氏族为例，通

①《马克思恩格斯选集》第4卷，北京：人民出版社，2012年，第95—96页。

过研究，他发现每个氏族内都盛行以下习俗[1]：

（1）氏族选举一个酋长（平时的首脑）和一个酋帅（军事领袖）。酋长必须从本氏族成员中选出，他的职位在氏族内世袭，一旦空缺，必须立刻重新补上。此外，由于他的职位，他也是塞讷卡部落议事会以及全体易洛魁人联盟的议事会的成员。军事领袖则可以从氏族以外的人中选出并且有时可以暂缺。由于易洛魁人奉行母权制，因而酋长的儿子属于别一氏族，所以从不选举前一酋长的儿子做酋长，而是往往选举他的兄弟做酋长，或者选举他的姊妹的儿子做酋长。

（2）酋长在氏族内部的权力，是父亲般的、纯粹道义性质的；他手里没有强制的手段。酋帅仅仅在出征时才能发号施令。

（3）所有的人，无论男女，都参加选举。不过选举须经其余七个氏族确认，只有经过确认以后，当选为酋长的人才正式就职，就职仪式则由全易洛魁联盟的总议事会举行。

（4）氏族可以任意撤换酋长和酋帅。这仍是由男女共同决定的。被罢免的人，此后便像其他人一样成为普通战士，成为私人。此外，部落议事会甚至可以违反氏族的意志而罢免酋长。（此点体现出上级组织已经可以不顾基层民意干预下级的罢免。）

（5）氏族的任何成员禁止在氏族内部通婚（这也正是氏族产生的根本原因）。

（6）因财产实行公有，所以死者的财产不能留给自己的子女，而是转归其余的同氏族人所有。因为易洛魁人所能遗留

① 参见《马克思恩格斯选集》第4卷，北京：人民出版社，2012年，第97—100页。

的东西为数很少，所以他的遗产就由他最近的同氏族亲属分享；男子死时，由他的同胞兄弟、姊妹以及母亲的兄弟分享；妇女死时，由她的子女和同胞姊妹而不是由她的兄弟分享。根据同一理由，夫妇不能彼此继承，子女也不得继承父亲。

（7）氏族成员利益一体化。同氏族人必须互相援助、保护，特别是在受到外族人伤害时，要帮助报仇。凡伤害个人的，便是伤害了整个氏族。因而，从氏族的血族关系中便产生了为易洛魁人所绝对承认的血族复仇的义务。假使一个氏族成员被外族人杀害了，那么被害者的全氏族的人就有义务实行血族复仇。起初是试行调解；行凶者的氏族议事会开会，大抵用道歉与赠送厚礼的方式，向被害者的氏族的议事会提议和平了结事件。如果提议被接受，事情就算解决了。否则，受害者的氏族就指定一个或几个复仇者，他们的义务就是去追寻行凶者，把他杀死。如果这样做了，行凶者的氏族也没有诉怨的权利，事情就算了结了。

（8）氏族有一定的名称或一套名称，在全部落内只有该氏族才能使用这些名称。因此，氏族个别成员的名字，也就表明了他属于哪一氏族。氏族的名称一开始就同氏族的权利密切联系在一起。

（9）氏族可以接纳外人入族，并用这个办法吸收他们为整个部落的成员。这样，未杀死的俘虏，就可以被某一个氏族接纳入族，成为塞讷卡部落的成员，从而获得了氏族和部落的一切权利。接纳外人入族的事情，是根据氏族的个别成员的提议而实行的：男子可以提议接纳外人为兄弟或姊妹；女子可以提议接纳外人为自己的孩子；为了确认这种接纳，必须举行入族仪式。个别因特殊情形而人丁不旺的氏族，常常由于大批接纳别一氏族（得到它的同意）的人入族而重新兴旺起来。在易洛魁人中间，入族仪式在部落议事会的公共集会上举行，实际上已经变为一种宗教仪式。

（10）宗教仪式多少都是和氏族联系在一起的。在易洛魁人的六个一年一度的宗教节日期间，各个氏族的酋长和酋帅，由于他们的职位，都被列在“信仰守护人”以内，而执行祭司的职能。

（11）氏族有议事会。议事会是氏族的一切成年男女享有平等表决权的民主集会。它选举、罢免酋长和酋帅，以及其余的“信仰守护人”；它作出为被杀害的氏族成员接受赎罪献礼（杀人赔偿金）或实行血族复仇的决定；它收养外人加入氏族。总之，议事会是氏族的最高权力机关。

恩格斯写道：“氏族作为社会单位出现以后，氏族、胞族和部落这整个社会组织就怎样以几乎不可抗拒的必然性（因为是天然性）从这种单位中发展出来。这三种集团代表着不同层次的血缘亲属关系，每个都是闭关自守，自己的事情自己管理，但是又互相补充。归它们管辖的事情，包括低级阶段上的野蛮人的全部公共事务。所以，我们凡遇见某一民族是把氏族作为社会单位时，我们也就可以去寻找类似前面所讲的那种部落组织……”[①]由于氏族内部禁止通婚的规定，导致原有的群体要想繁衍生息，就必须分裂出两个或两个以上的氏族，这些分裂出去的氏族又独立存在，并随着人口的增殖，每个氏族又分裂成两个或两个以上的氏族。这些分裂后所形成的氏

①《马克思恩格斯选集》第4卷，北京：人民出版社，2012年，第108页。

族，以及最初的氏族就共同构成了胞族，即胞族就是由一个原始氏族分裂而成的、若干个具有血缘关系的氏族所组成的集团。它具有以下特点[①]：

（1）胞族间互相赛球竞技。

（2）在部落议事会上，每个胞族的酋长和军事领袖坐在一起，两个胞族彼此相对，每个发言者都面对各胞族的代表讲话，把他们当作特别的团体。

（3）作为较高级别的代表参与交涉。如果部落内发生杀人事件，而行凶者与被害者不属于同一个胞族时，被害者的氏族往往诉诸自己的兄弟氏族；于是这些氏族就举行胞族议事会，把对方胞族作为一个整体进行交涉，使对方胞族也召集自己的议事会，以谋求事件的解决。因此，在这里，胞族又以最初的氏族的资格出现，并且比它派生的较微弱的单个氏族更有获胜的希望。

（4）在重要人物死亡时，对方胞族办理安葬和丧礼，而死者胞族的成员则以死者的近亲服丧人的资格参与葬礼。酋长死时，对方胞族将出缺一事通知易洛魁人的联盟议事会。

（5）在选举酋长时，胞族议事会也出面参与。兄弟氏族对选举的确认，被认为是一种当然的事情；但另一个胞族的氏族则可能提出异议，在这种情况下，这个胞族的议事会立即召开会议，如果议事会认为异议是正当的，选举就算无效。

（6）作为单独的军事团体参与作战。以征服时期，住在特拉斯卡拉四个区的四个lineages（血族）为例，每个血族在作战时各成一队，各穿自己的制服，有自己的旗帜和自己的

① 参见《马克思恩格斯选集》第4卷，北京：人民出版社，2012年，第101—102页。

首领。

正如几个氏族组成一个胞族一样，几个胞族就古典形式来说则组成一个部落。不过胞族作为氏族与部落的中间环节，它的出现并不具有必然性，在那些大大衰微的部落中就未曾出现过胞族。在这种情况下，部落则是由氏族直接组成。

部落具有以下特征[1]：

（1）有自己的地区和自己的名称。每一部落除自己实际居住的地方以外，还占有相当大的地区供打猎和捕鱼之用。在这个地区之外，还有一块广阔的中立地带，一直延伸到邻近部落的地区边上；在语言接近的各部落中间，这种中立地带比较狭小，在语言不接近的各部落中间，中立地带比较宽大。部落的名称，看来多半是偶然发生，而不是有意选择的。随着时间的进展，往往一个部落被邻近各部落取了另外的名称，与该部落自己使用的名称不同，像德意志人最初的历史上的总称“日耳曼人”是由克尔特人给他们取的一样。

（2）有独特的、仅为这个部落所用的方言。

（3）有宣布氏族所选出的酋长和军事首领正式就职的权利。

（4）有撤换他们的权利，甚至可以违反他们氏族的愿望而撤换他们。

（5）有共同的宗教观念（神话）和崇拜仪式。

（6）有管理公共事务的部落议事会。它是由各个氏族的酋长和军事首领组成的——这些人是氏族的真正代表，因为他们是随时都可以撤换的；议事会公开开会，四周围着部落的

① 参见《马克思恩格斯选集》第4卷，北京：人民出版社，2012年，第102—106页。

其余成员，这些成员有权加入讨论和发表自己的意见；决议则由议事会作出。按照通例，每个出席的人都可以随意发表意见，妇女也可以通过她们所选定的发言人陈述自己的意见。

（7）在有些部落中间，有一个最高的首领，但他的权力并不大。他是酋长之一，当需要紧急行动时，他应当在议事会召集会议作出最后决定之前采取临时的措施。在这里我们看到了一种具有执行权力的官员的微弱萌芽。

比部落更高一级别的则是联盟，它由若干个亲属部落所组成。起初，这些部落由于紧急需要，组成一个短期性的联盟。可是当人们意识到一旦组成联盟就具有了强大军事力量时，这种联盟就由起初的暂时状态转变为了永久状态，并且对外极具侵略扩张性。例如“在合众国，我们在易洛魁人中间，便可以见到这种联盟的最发达的形式。他们从密西西比河以西的地方（在这里，他们大概是很大的达科塔族系的一个分支）迁移出来，经过长期漂泊才定居在今日的纽约州，并分成了五个部落：塞讷卡、卡尤加、奥嫩多加、欧奈达及摩霍克。他们以捕鱼、打猎及原始园艺为生；住在大多用栅栏防卫起来的村落中。他们的人数从未超过两万；五个部落中有几个氏族是共同的；他们说着同一种语言的非常近似的方言，占有互相接壤的、为五个部落所瓜分的地区。因为这个地区是他们不久以前才征服来的，所以这些部落惯于团结起来对付被他们驱逐的部落，是自然而然的事。这样至迟到15世纪初，就发展成为一种正式的“永世联盟”，这种联盟，一经意识到它的新的实力，便立刻具有了进攻的性质，在1675年前后，当它达到了极盛的时候，便征服了它四周的广大土地，把这些地方上的居民一部分驱逐出境，一部分使之纳贡。”[1]联盟的基本特点如下[2]：

（1）五个血缘亲属部落以完全平等和在部落的一切内部事务上的独立为基础，结成永世联盟。

（2）联盟的机关是联盟议事会，由50个地位和权限平等的酋长组成；这个议事会对联盟的一切事务作最后的决定。

（3）这50个酋长，在联盟成立时，被分配在各部落和氏族中，担任专为联盟目的而设立的新的公职。当出缺时，有关的氏族便重新进行选举，同时有关的氏族也可以随时罢免他们；委任权则属于联盟议事会。

（4）联盟的这些酋长们，在他们各自的部落中也是酋长，享有参加部落议事会和表决的权利。

（5）联盟议事会的一切决议，须经全体一致通过。

（6）表决是按部落举行的，这样，每个部落以及每个部落内的议事会全体成员，都必须一致赞成，决议才算有效。

（7）五个部落议事会中每一个都可以召集联盟议事会，但联盟议事会本身不得自行召集。

（8）会议在聚集起来的民众面前公开举行，每个易洛魁人都可以发言；但只有议事会才能作决定。

（9）联盟没有一长制首长，即没有主掌执行权的首脑。

（10）但联盟有两个具有平等职能和平等权力的最高军事首长（类似斯巴达人的两“王”，罗马的两执政官）。

绝大多数的美洲印第安人，都没有超过联合为部落的阶

---

①《马克思恩格斯选集》第4卷，北京：人民出版社，2012年，第106页。

② 参见《马克思恩格斯选集》第4卷，北京：人民出版社，2012年，第106—107页。

段。他们这些人数不多的部落,彼此由广大的边境地带隔开,而且为不断的战争所削弱。这样,他们就以少数的人口占有辽阔的地面。易洛魁人的联盟是尚未超过野蛮时代低级阶段的印第安人所未曾达到的最进步的社会组织。落后的生产力得不到提高,食物的产量也就无法提升,从而进一步限制了人口增长以及社会的分工。这些就是导致易洛魁人的生产和生活方式一直保留到了恩格斯所在的年代的原因。尽管氏族制度注定要走向灭亡,但氏族中所存在的真正意义上的民主、平等、自由,即便是在今天发达的资本主义国家也永远难以达到。在私有财产出现以前,在没有分化为不同的阶级以前,人类社会就是如此。

10. 希腊人的氏族

英雄时代的希腊人,他们的氏族制度超越了易洛魁人两个时期,最显著的表现就是:①群婚制的痕迹正在消失;②由于私有财产的出现,使得母权制(从母亲方面确认世系的情况和随着时间的进展而由此发展起来的继承关系)让位于父权制。

除去那些与易洛魁人的氏族制度相似的特征之外,希腊的氏族还具有以下特征:

(1)世系按照父权制来计算。

(2)通常情况下,禁止氏族内部通婚,但和富有的女继承人结婚时例外。在实行父权制以后,女继承人的财产在其出嫁时归属于丈夫所有,从而导致财产流向丈夫一方所在的氏族。于是为了把女继承人的财产留在本氏族内,则要求富有的女继承人必须在氏族内部结婚。

另外，“在荷马的诗中，我们可以看到希腊的各部落大多数已联合成为一些小民族[kleine Völkerschaften]；在这种小民族内部，氏族、胞族和部落仍然完全保持着它们的独立性。它们已经住在有城墙保护的城市里；人口的数目随着畜群的增加、农业的扩展以及手工业的萌芽而日益增长；与此同时，产生了财产上的差别，随之也就在古代自然形成的民主制内部产生了贵族分子。各个小民族[Völkchen]，为了占有最好的土地，也为了掠夺战利品，进行着不断的战争；以俘虏充做奴隶，已成为公认的制度。”[①]这些部落和小民族的组织如下：

（1）常设的权力机关——议事会。过去，议事会的成员，是由氏族成员全体选举的酋长所组成，现在由于生产力的发展，人口数量增加得太多，使全体成员参与选举变成不可能实现的事情，于是选民从直接参与就变为了间接参与，由其中选出的一部分人组成，这就是特权贵族出现的前身。最后，随着国家的设立，这种议事会就变为了元老院。

（2）最高的权力机关——人民大会。人民大会由议事会召集，当议事会开会时，男男女女都站在周围，按照规定的程序参加讨论；每个男子都可以发言。决定是用举手或欢呼通过的。

（3）世袭元首或君主的最初萌芽——军事首长（巴赛勒斯）。希腊人的巴赛勒斯还并不是现代意义上的君主，虽然，在父权制统治下，巴赛勒斯的职位通常是传给儿子，但这也表明儿子们在这里可能指望通过人民选举而获得继承权，但绝不是说不经过人民选举就承认继承合法。正像罗马的“王”一

---

①《马克思恩格斯选集》第4卷，北京：人民出版社，2012年，第117—118页。

样，必定是或者由人民选举的，或者为议事会或人民大会所认可的。巴赛勒斯除了拥有军事的权限以外，还有祭祀的和审判的权限。希腊著作家用来表示荷马所说的王权的basileia［巴赛勒斯］一词，在同时存在议事会和人民大会的情况下，其意不过是军事民主制而已[①]。不过，各种权力的集中却是它日后发展成为君主式独裁的前提。

从上述内容可以看出，英雄时代的希腊氏族制度出现了易洛魁人氏族制度中所没有的新因素；但同时这也意味着希腊的氏族制度已经开始走上了灭亡的道路。首先，私有财产的出现使继承制度发生改变，子女开始继承父亲的遗产，促进了财产积累于家中，并且使家庭变成一种与氏族对立的力量。财产的差别使一些在经济上具有优势的家庭成为世袭显贵，并使权力与大众分离，集中于这些显贵手中。奴隶制开始出现，并且奴隶的来源也不再仅限于敌方的俘虏，同部落、同氏族的一些内部成员也开始因为债务原因沦为奴隶。古代部落之间以血亲复仇或争夺生存空间的战争，此时开始转变为争夺他人家畜、奴隶和财产的战争。这时，氏族制度中的共产制度、对私有财产的鄙视以及反对有产者剥削和压迫无产者的原则，已经与当时的社会现实发生严重冲突，需要建立一个新的机关来取代氏族制度，以便用新的方式来解决社会上出现的问题。

11. 雅典国家的产生

在这里，恩格斯以四个不同时期的改革历程来叙述雅典国家的产生。英雄时代的雅典，由于生产力的发展，导致社会

①《马克思恩格斯选集》第4卷，北京：人民出版社，2012年，第121页。

分工进一步扩大，出现了农业、手工业、商业、航海业等。从事不同行业的成员之间由于利益的需要形成了相应的稳定的集团，而以往的民族仅管理自己的内部事务，无法顾及这些集团的利益，这时就需要设立新的官职来解决。由于地产的买卖，氏族、胞族和部落成员中开始出现杂居现象，这使得原来以血缘为纽带的组成群体中，出现了血缘以外的成员，同时奴隶的数量也大幅度增加，并超过了雅典的自由人的数量，贸易的繁荣也使得大批追求财富的外地人定居此处。这些变化是氏族制度所无法应对的。因为依照氏族制度的规定，非氏族成员是无法参与氏族日常事务管理的，因此，这些非氏族成员就无法表达他们的诉求，利益也就得不到保障。

为了解决上述问题，希腊人提修斯进行了制度上的改革。首先，在雅典设立了一个中央管理机关，将过去各部落独立处理的一部分事务作为全体成员的共同事务来进行管理。同时，由于雅典的部落联盟逐渐融合为统一的民族，从而形成了凌驾于各氏族和部落的习惯法之上，对全体成员具有普遍适用的民族法。这就使得氏族以外的成员，即使在非本部落地区，其权利也能得到新法律的保护。其次，不再考虑氏族、胞族或部落的成员身份，将全体成员分为贵族、农民和手工业者三个阶级，并仅给予贵族成员担任公职的特权。虽然此时，担任公职的贵族与其他各阶级相比并无任何法权上的差别，但从观念上讲，由一定家庭成员担任公职的做法，在过去只是习惯而已，但现在却具有了不容置疑的必然性。有钱有势的家庭开始超出自己的氏族之外，联合变成一种独立的特权阶级，国家产生以后为这些特权阶级的霸占行为赋予了一种不容侵犯的神圣性。

提修斯的改革表明，不同的职业群体对社会生活有着重大影响，使过去以氏族和部落的划分方式在社会意义方面已不再重要，再加上氏族自身的局限性，导致其日后必然被国家所取代。建立国家的目的就是为了打破氏族的平等原则，将每一名氏族成员分为特权者和非特权者，再把非特权者按照他们的职业分为不同阶级，以此来建立有利于统治阶级的新的社会秩序。

到了梭伦时代，巴赛勒斯一职已经丧失它的意义，国家首脑人物由贵族中推选出的执政官来担任，贵族统治不断加强。具体表现为贵族在经济地位上确立了压倒其他阶级的绝对优势，一方面通过海上贸易以及偶尔附带的海上掠夺使贵族发财致富；另一方面，货币和高利贷更加重了被剥削阶级的贫困，使货币财富集中于贵族手中。日益发达的货币经济开始冲击并破坏农村公社中以自然经济为基础的传统生活方式。债务契约开始出现，无论债务人是否基于公平合理的事实前提下与债权人产生了权利义务关系，为了保护债权人的利益，使得货币所有者对小农的剥削变得神圣化、合理化，一种新的习惯法应运而生。“在阿提卡的田地上到处都竖立着抵押柱，上面写着这块地已经以多少钱抵押给某某人了。没有竖这种柱子的田地，大半都因未按期付还押款或利息而出售，归贵族高利贷者所有了；农民只要被允许做佃户租种原地，能得自己劳动生产品的六分之一以维持生活，把其余六分之五作为地租交给新主人，那他就谢天谢地了。不仅如此，如果出卖土地所得的钱不够还债，或者债务没有抵押保证，那么债务人便不得不把自己的子女出卖到国外去做奴隶，以偿还债务。父亲出卖子女——这就是父权制和专偶制的第一个果实！要是吸血鬼还不满足，那么他可以把债务人本身卖为奴隶。”①

随着被剥削的人民所处的环境越发艰难，严重阻碍了社会经济的发展。梭伦在公元前594年掀起了一系列的政治革命。这种革命是为了保护一种所有制而反对另外一种所有制的。例如在法国大革命时期，革命是以牺牲封建所有制来拯救资产阶级所有制。同样，梭伦所进行的革命也不例外，他将所有的债契全部废除，禁止缔结以债务人的人身作抵押的债务契约；又规定了个人所能占有的地产的最大数额。在制度上，创立了400人组成的议事会，把公民按照他们的地产和收入划分为四个阶级：500袋、300袋、150袋谷物（一袋约等于41公斤）为前三个阶级的最低限度的收入额，地产少于此数或完全没有地产的人，则属于第四阶级。一切公职只有前三个阶级的人才能担任，最高公职只有第一阶级的人才能担任。第四阶级只有在人民大会上发言和投票的权利，除此之外，四个阶级还是军队组织的组成基础，前两个阶级提供骑兵，第三个阶级提供重装步兵，第四个阶级提供轻装步兵和一般水手。

梭伦的这一系列改革措施，有效约束了贵族阶级的统治，减轻了被剥削人民的沉重负担，新兴阶级，即富有的工商业者以其雄厚的财力得以参与政治活动，打破了贵族阶级专权的局面。虽然贵族为夺回他们以前的特权与平民展开了一个多世纪的斗争，并在短时间内占据上风，不过到了克里斯提尼革

①《马克思恩格斯选集》第4卷，北京：人民出版社，2012年，第126页。

命时，这场斗争最终以贵族的失败而告终。

克利斯提尼的新制度在划分民众时，不再以氏族和部落为标准，而是以居民的居住地区为标准。这种方式与我们现代国家的做法相似。血缘关系作为氏族、部落成立的基础，一旦被摒弃就意味着氏族在灭亡的道路上又向前迈进了一步。氏族制度的各种机关被新的机关取代之后就不再处理社会事务，它下降为私人性质的团体和宗教社会。不过，旧氏族时代的道德影响、传统观点和思想方式，还将保存很久，才能逐渐消亡下去。例如，警察这种职业，在自由的雅典人看来是非常卑贱的，以致他们宁愿让武装的奴隶逮捕自己，也不愿从事该职业。另外就是对劳动的鄙视，随着商业和工业的发展，财富日渐集中于少数人手中，导致出现大批自由公民贫困化的现象。这些公民宁愿成为穷光蛋，也不愿从事手工业，同奴隶们一起参与劳动竞争。

12. 罗马的氏族和国家

罗马的氏族除已经完成了父权制过渡外，在权利义务方面几乎与易洛魁人的氏族相同。罗马也存在着胞族和部落。这里十个氏族构成一个胞族（库里亚），十个胞族构成一个部落，所有三个部落合在一起形成了罗马人民。

在政治制度方面，元老院负责处理公共事务，它是由三百个氏族首长组成的。氏族首长总是从每个氏族的同一家庭中选出，这就是最初的部落贵族。这些家庭要求加入元老院并担任其他一切官职的独占权。元老院还像雅典的议事会一样，在许多事情上有着决定权，有权预先讨论其中比较重要的事情，尤其是新法律。

不过，这些新法律最后由库里亚大会（人民大会）通过。来参加大会的人民按库里亚分组，而在每个库里亚内大概又按姓氏分组；在通过决议时30个库里亚各有一票表决权。库里亚大会通过或否决一切法律，包括选举、宣战并以最高法院资格，在一切事关判处罗马公民死刑的场合，根据各方的上诉作最后的决定。①

最后，与元老院和人民大会并列的，还有勒克斯，他完全相当于希腊的巴赛勒斯，但绝不像德国古典学者、历史学家特奥多尔·蒙森所描述的那样，几乎是专制的君主。他同样也是军事首长、最高祭司和某些法庭的审判长。他不掌握民政方面的权力，即没有处理公民的生命、自由和财产的权力，除非这些权力来自军事首长的惩戒权或法庭审判长的判决执行权。勒克斯的职位不是世系的，一般是由其前任推荐，先由库里亚大会选出，然后在第二次大会上正式就职的。他也是可以撤换的。②

罗马在对外征服的过程中取得了大片土地和大量人口。而这些外来移民和被征服土地上的居民，他们虽然是自由人，可以占有地产，须服兵役和纳税，但却因血缘关系被阻挡于罗马的氏族之外，因而不属于罗马人民。他们不能参加库里亚大会，不能担任任何官职，也不能参与政府得来的国有土地的分配，变成被剥夺一切公权的平民。这些不属于罗马人民的民众暂且称之为平民集团。他们的人数不断增加，并且拥有武装、受过军事训练，在经济实力上也与罗马人民旗鼓相当。

① 参见《马克思恩格斯选集》第4卷，北京：人民出版社，2012年，第142页。

② 参见《马克思恩格斯选集》第4卷，北京：人民出版社，2012年，第142—143页。

他们占有与罗马人民数量相当的土地，商业和工业的财富虽然还不发达，但也都掌握在平民集团手中。这就使得平民集团拥有了与罗马人民对抗的强大实力。

塞尔维乌斯，这位古罗马时代的第六位国王，为了缓和罗马人民与平民集团的矛盾，依照希腊梭伦的模式，设立了新的人民大会，不再区分罗马人民和平民集团了。能否拥有参与该大会的资格，以其是否服兵役而定，这就改变了以往平民集团无法参与政治活动的局面。他把应服兵役的男子，按其财产分为六个阶级，其中第六个阶级为无产者，由那些没有什么财产、不服兵役和不纳税的人构成。

在新的百人团人民大会上，公民以军队方式按连队来编组，每队100人，称百人团，每个百人团有一票表决权。但是，第一阶级出80个百人团，第二阶级出22个，第三阶级出20个，第四阶级出22个，第五阶级出30个，而第六阶级，为了体面起见，也准出一个；此外，还有从最富裕的公民中征集的骑士所组成的18个百人团。一共有193个百人团，多数票为97票。但骑士和第一阶级合在一起就有98票，即占多数；只要他们意见一致，就可以不征询其余阶级的意见，决议也就有效了。[①]以前库里亚大会的一切政治权利（除了若干名义上的权利以外），现在都归这个新的百人团大会了；这样一来，库里亚和构成它们的各氏族，像在雅典一样，就降为纯粹私人的和宗教的团体，并且作为这样的团体还苟延残喘了很久，而库里亚大会不久就完全消失了。

随着四个地区部落的设立，三个旧有的血族部落也从国

① 参见《马克思恩格斯选集》第4卷，北京：人民出版社，2012年，第144页。

家中排除出去了。至此,以个人血缘关系为基础的氏族制度已经被破坏了,取而代之的是一个新的、以地区划分和财产差别为基础的国家制度。此时,公权力体现在军队上。这些军队不仅用来对外作战,而且还用来对内镇压反抗的奴隶和拥有武装的无产者。

13. 德意志的氏族及其国家的形成

在公元初,德意志人口大概就有600万人,而易洛魁人在其全盛时代人口总数也不足2万人。庞大的人口数量意味着德意志人的经济发展水平和氏族发展程度必然要超越易洛魁人,相应的,其氏族制度也正走在灭亡的道路上。庞大的人口也使德意志人有了对外扩张的需要,而且罗马自身的统治危机也使德意志人有机可乘。

就在德意志人入侵之前,罗马帝国已经走向了没落,国家制度失去了调和矛盾的作用,其残酷的剥削反而造成了各省的离心。捐税、国家的差役和各种代役使人民大众日益陷入贫困的深渊中。地方长官、收租官以及士兵的勒索,更使压迫加重到了使人不能忍受的地步。帝国越是没落,这一情况就越发严重,从而造成了恶性循环。商业在官吏的勒索下毁灭了;普遍的贫困化,商业、手工业和艺术的衰落,人口的减少,都市的衰败,农业退回到更低的水平。

过去存在的大庄园经济以两种方式存在着。一种是大牧场,这种经济只需要少数奴隶看管牲畜即可;另一种则是大田庄,这种经济则需要大批奴隶进行生产劳动。不过,田庄田产及其园艺业随着领主的贫穷和城市的衰落而衰败了,从而导致以奴隶劳动为基础的大田庄经济不再有利可图。于是,小规模经营取代了大田庄生产，大田庄被分为若干小块土地，分别租给世袭佃农、分成制农民以及隶农。分成制农民只能获得一年劳动生产品的六分之一或九分之一。隶农除了每年缴纳一定的款项外，本人也成为土地的依附物，当隶农所在的土地被出售时，他也随之一起流转。

过去庞大的生产已经收缩成了小农业和小手工业，这些产业也不像过去那样需要大批奴隶，只剩部分奴隶替富人做家务和供他们过奢侈的生活。古代的奴隶制度随着社会经济的发展，已经不适应时代的需要了。这也预示着它注定走向灭亡。不过它却给社会留下了一根观念上的毒刺——鄙视自由人从事劳动，认为生产劳动是奴隶们所做的事情。自由的小农处境也并不乐观，为了避免受到官吏和高利贷者的侵害，他们必须向有权势者寻求保护。为此，他们要付出巨大的代价，那就是交出土地的所有权，而仅剩土地的终身使用权。

德意志野蛮人以解放者的姿态击败了罗马，并把三分之二的土地拿来重新分配，这些土地一部分归全体人民所有，一部分归各个部落和氏族所有。在每个氏族内，用抽签的方式把耕地和草地平均分给各户。不过，这种带有氏族色彩的分配方式不久就被取消了。单块的份地变为可转让的私有财产，随着德意志人与罗马人的杂居融合，过去以血缘为纽带的联系逐渐被地区性质的联系所取代，氏族消失于中世纪西欧日耳曼人的一种村落组织——马尔克公社中。

德意志人在征服了罗马以后，同样面临着希腊人曾遇到过的问题，这就是如何处理与数量庞大的氏族外部成员之间的关系。因此，废弃氏族制度，继承罗马的国家制度就成为维持统治的必然选择。而也正是这一做法，导致了日后法兰克王国在400年里重演了罗马帝国的兴衰与灭亡。首先是军事首长实现了向王权的转化，土地有部分公有全部变为私有，并以采邑（一种分封土地和农民的制度——编者注）的方式分配给了手下亲信。氏族首长议事会的形式被国王的固定亲信所取代。旧的人民大会也愈来愈成为下级军事首长和新贵的会议。占有土地的自由农民在连年的内战和对外战争中破产，以致他们不得不转让土地所有权给保护人，自己再将该土地承租回来。不过，一旦陷入这种依附形式，他们就逐渐丧失了自己的人身自由，经过几代后，他们中的大多数人就变成了农奴。最后法兰克王国被诺曼人征服，正如400年前，法兰克人征服罗马那样。

德意志人重蹈罗马人的覆辙，证明了社会分化和财产分配是跟当时的生产水平相适应的。同样，一定的生产水平又必然决定着社会的分化与财产分配。不过，这看似循环的400年中，还是出现了一些新的因素，古代奴隶制已经消失，取而代之的是地主和农民所构成的新的生产关系。原有的土地所有者把他们土地中的一部分，分配给手下的奴隶，使其依靠这些土地来自己维持生计。这样一来，奴隶因获得了属于自己的土地而提高了生产积极性，又为奴隶主节约了管理奴隶的费用，例如不再需要雇佣大量的监工，不需要负担奴隶的生活费用，而这些拥有土地的奴隶就转化成了农奴。奴隶与农奴的区别在于——以往的奴隶不具有自己的经济来源，终身为奴隶主无偿劳动，他们被视为奴隶主的“会说话的工具”，其地位如同牲畜一般，根本没有人身自由；而农奴拥有属于自己的土地，因此，有着自己的经济来源。农奴除服徭役外还能自由支配一部分劳动时间，即为自己生产，他不再是奴隶主的所有物，他们不像奴隶那样对奴隶主具有直接的人身隶属关系，而是通过土地建立起来的一种隶属关系。这样，一种封建式的生产关系开始出现，标志着一个全新的时代即将来临。

14. 野蛮和文明时代

这一节我将脱离原著的章节内容，主要写一些自己的心得体会并将这部分的主要内容进行梳理，使读者能够对前文有着更为清晰的认识。

（1）在整个蒙昧时代，人类实行群婚制。那时所有的男女都互为夫妻，孩子的亲生父亲无法确定。因此，一切子女无论亲生还是非亲生都被同等看待。

（2）后来开始对这种杂乱的性交关系作出了限制。于是，最先出现了按照辈分划分的血缘家庭，在这种家庭中，辈分不同的人群禁止成为夫妻。

（3）到了蒙昧时代的中级阶段，又出现了排除姊妹和兄弟之间性交关系的普那路亚家庭，此时在亲属制度上出现了区分外甥、外甥女、表兄弟和表姊妹等的必要。也正是这种家庭的出现，导致了氏族的产生。所以，蒙昧时代的中级阶段，是氏族产生的时期；蒙昧时代的高级阶段，是氏族继续发展时期；到了野蛮时代的低级阶段时，氏族便达到了全盛时期，再往前迈进一步，就会出现导致氏族瓦解以及国家产生的因素。在氏族从产生到全盛的这一历史时期内，人们的生产力水平极为低下，在食物来源有限的情况下是无法繁衍大量人口的，所以，社会分工也仅存在于男性与女性之间：男子作战、打猎、捕鱼，获取食物的原料，并制作为此所必需的工具；妇女料理家务，制备食物和衣服，包括做饭、纺织、缝纫。男女分别是自己活动领域的主人：男子是森林中的主人，妇女是家里的主人。男女分别是自己所制造的和所使用的工具的所有者：男子是武器、渔猎用具的所有者，妇女是家庭用具的所有者。氏族内实行着共产制家庭经济，其中包括几个、往往是许多个家庭。这种家庭经济盛行到野蛮时代中级阶段的后期，凡是共同制作和使用的东西，都是共同财产。此时，由于女子在经济上占据着重要地位，以及在群婚制下，子女的生父不能确定，世系只能从母亲方面确定，这就导致这一历史时期处于母系社会的治理下。因而，继承制度也受到母权制的影响。在这种制度下，死者的财产无法由自己的子女继承，而是要留在自己所在的氏族之内。

（4）到了野蛮时代，家庭发展到了一男一女或长或短时期内组成配偶的对偶制家庭。这种家庭早期处于母权制下，女子的贞操权还并不受到重视。在野蛮时代的低级阶段，生产力水平还很低下，所生产的物品主要被用于自身消费，很少有剩余的物品。所以，此时的物品交换只是偶然为之。

（5）到了野蛮时代的中级阶段时，随着畜牧业的发展，人们获取食物的方式也发生改变。依靠牲畜养殖不但可以获得稳定、充足的食物来源，也摆脱了过去依靠群体打猎这种食物来源极不稳定的方式。随着剩余的物品日益丰富，一些富裕的家庭产生了废除母权制的继承制度的动机，以便财富能够被自己的子女继承，从而留在自己的家庭内。根据当时的社会习惯，丈夫不但是家畜的所有者，而且又成为后来的奴隶的所有者，这就为男子在家庭以及社会中确立统治地位提供了重要保证，而后来历史的发展也的确如此：母系社会被父系社会所取代，母权制也不例外。

（6）到了野蛮时代的高级阶段时，铁器开始投入使用，它使大面积的农田耕种和开垦广阔的森林地区成为可能。生产力的提高带来了第二次大分工，手工业和农业开始分离，出现了以直接交换为目的的生产，即商品生产。蓄养奴隶进行劳动生产已经变得有利可图，于是奴隶制开始成为社会制度的一个组成部分。生产资料私有制也在逐渐确立，除了自由人和奴隶之外，又出现了富人和穷人的差别，共产制家庭经济开始瓦解。耕地起初是暂时的，后来则是永久地分配给各个家庭使用，它向完全的私有财产的过渡，是逐渐完成的，也是必然的。那时的生产资料主要表现为土地，在公有制下，土地是由大家共同占有的，因此，如果不废除公有制，那么生产资料就无法集中在少数人手中。这一过程是与对偶婚姻制向一夫一妻制的过渡平行完成的。与此同时，个体家庭开始从共产制家庭中分裂出来，成为社会的经济单位。

（7）到了文明时代，一夫一妻制开始确立。一夫一妻制的产生是由于大量财富集中于一人之手，并且是男子之手，而且这种财富必须传给这一男子的子女，而不是传给其他任何人的子女。为此，就需要妻子方面的一夫一妻制，而不是丈夫方面的一夫一妻制，而且这种妻子方面的一夫一妻制根本没有妨碍丈夫的公开的或秘密的多偶制。因此，这种婚姻的缔结，大多不是出于男女双方相互爱慕，而是受到经济因素的重大影响。例如，在一些贵族家庭，结婚是一种政治行为，是一种借新的联姻来扩大自己势力的机会；起决定作用的是家族的利益，并非个人的意愿。同样，直到中世纪末期，在绝大多数场合，婚姻的缔结仍然和最初一样，不是由当事人自己决定的事情。

随着家庭外生产胜过家庭内生产，两性间的分工呈现出新的社会意义。男子劳动和生产变得重要起来，妇女劳动和生产的能力及社会地位随之下降。“随着财富的增加，财富便一方面使丈夫在家庭中占据比妻子更重要的地位；另一方面，又产生了利用这个增强了的地位来废除传统的继承制度使之有利于子女的原动力……因此，必须废除母权制，而它也就被废除了。”[①]这样一夫一妻制就产生了。

恩格斯认为这个转变是非常关键的，因为“母权制的被推翻，乃是女性的具有世界历史意义的失败。丈夫在家中也掌握了权柄，而妻子则被贬低，被奴役，变成丈夫淫欲的奴隶，变成单纯的生孩子的工具了。”[②]丈夫凭借经济权力来支配新的家庭秩序，恩格斯称：“在家庭中，丈夫是资产者，妻子则相当于无产阶级。”[③]男性统治的根源在于是他而不是她掌握财产的事实。

在恩格斯看来，妇女的服从地位、私有制的出现和向父系社会的转变与一夫一妻制核心家庭的产生紧密相连。一夫一妻制家庭产生的唯一目的是为了保护私有财产的社会延续。

表面上，买卖婚姻的形式似乎正在消失，但实际上却在越

---

① 《马克思恩格斯选集》第4卷，北京：人民出版社，2012年，第64页。

② 《马克思恩格斯选集》第4卷，北京：人民出版社，2012年，第66页。

③ 《马克思恩格斯选集》第4卷，北京：人民出版社，2012年，第85页。

来越大的范围内实现——不仅对妇女，而且对男子。“而且不是根据他们的个人品质，而是根据他们的财产来规定价格。当事人双方的相互爱慕应当高于其他一切而成为婚姻基础的事情，在统治阶级的实践中是自古以来都没有的。”①

“结婚的充分自由，只有在消灭了资本主义生产和它所造成的财产关系，从而把今日对选择配偶还有巨大影响的一切附加的经济考虑消除以后，才能普遍实现。到那时，除了相互的爱慕以外，就再也不会有别的动机了。”②

“随着在文明时代获得最充分发展的奴隶制的出现，就发生了社会分成剥削阶级和被剥削阶级的第一次大分裂。这种分裂继续存在于整个文明期。奴隶制是古希腊罗马时代世界所固有的第一个剥削形式；继之而来的是中世纪的农奴制和近代的雇佣劳动制。这就是文明时代的三大时期所特有的三大奴役形式；公开的而近来是隐蔽的奴隶制始终伴随着文明时代。”③这三大奴役形式都是建立在生产资料私有制的基础之上。因为土地、资源、原材料等生产资料也被少数人占去（相对于无产者而言是少数的）。因此，不占有生产资料的大多数人要想生存就必须为少数人劳动。在奴隶制度下，奴隶没有人身自由，等同于奴隶主的“会说话的工具”，他们终身都要为奴隶主无偿劳动，而奴隶主仅需维持他们的温饱。到了农奴制时，农奴不仅与地主不存在直接的人身依附关系，而且也开始有了自己的小块土地，这样就有了自己的经济收入，因

①《马克思恩格斯选集》第4卷，北京：人民出版社，2012年，第90页。

②《马克思恩格斯选集》第4卷，北京：人民出版社，2012年，第93页。

③《马克思恩格斯选集》第4卷，北京：人民出版社，2012年，第192—193页。

此，地主不再负责解决农奴的温饱问题。农奴们大部分时间都在为地主无偿耕种土地，并且要无偿服各种劳役。近代的雇佣制则是劳动者在一定时间内通过出卖自己的劳动力（脑力或体力）来获取报酬。

如果说农奴通过土地而与地主产生间接的人身依附关系，那么在雇佣制下，劳动者则有了更多的人身自由，不过他仍需出卖自己一生的大部分时间于雇主，甚至为多个雇主劳动。这种通过劳动获得报酬的方式，在看似公正的表象之下，隐藏的是劳动者在激烈的就业竞争中不得不压低自身要求的事实，即劳动者所创造的价值，大部分都被雇主无偿拿走，自身却仅得到一丁点的报酬。劳动者虽然倾其一生地为雇主劳动，但所获得的收入却仅够维持自身的生存所需，要想改变自己的经济地位则是几乎不可能实现的。即便一些人群因其自身的知识、技术、经验、特长等使其劳动成为复杂劳动，因而能够得到比一般劳动更高的报酬，但也仅是使自己的生活条件可以得到改善，无法改变自身不占有生产资料的事实。

而对于文明时代的发展，恩格斯认同摩尔根的评断："自从进入文明时代以来，财富的增长是如此巨大，它的形式是如此繁多，它的用途是如此广泛，为了所有者的利益而对它进行的管理又是如此巧妙，以致这种财富对人民来说变成了一种无法控制的力量。人类的智慧在自己的创造物面前感到迷惘而不知所措了。然而，总有一天，人类的理智一定会强健到能够支配财富，一定会规定国家对它所保护的财产的关系，以及所有者的权利的范围。社会的利益绝对地高于个人的利益，必须使这两者处于一种公正而和谐的关系之中。只要进步仍将是未来的规律，像它对于过去那样，那么单纯追求财富就不是人类的最终的命运了。自从文明时代开始以来所经过的时间，只是人类已经经历过的生存时间的一小部分，只是人类将要经历的生存时间的一小部分。社会的分解，即将成为以财富为唯一的最终目的的那个历程的终结，因为这一历程包含着自我消灭的因素。管理上的民主，社会中的博爱，权利的平等，普及的教育，将揭开社会的下一个更高的阶段，经验、理智和科学正在不断向这个阶段努力。这将是古代氏族的自由、平等和博爱的复活，但却是在更高级形式上的复活。”①

（8）通过对希腊、雅典、罗马以及德意志历史发展的研究，可以看到，私有制除了对婚姻和家庭有着重大影响以外，也正是它的出现才导致氏族的灭亡和国家的产生。在以往的氏族制度下，人们享有着真正的民主、自由和平等。“没有士兵、宪兵和警察，没有贵族、国王、总督、地方官和法官，没有监狱，没有诉讼，而一切都是有条有理的。一切争端和纠纷，都由当事人的全体即氏族或部落来解决，或者由各个氏族相互解决；血族复仇仅仅当做一种极端的、很少应用的威胁手段；我们今日的死刑，只是这种复仇的文明形式，而带有文明的一切好处与弊害。虽然当时的公共事务比今日多得多——家庭经济都是由一组家庭按照共产制共同经营的，土地乃是全部落的财产，仅有小小的园圃归家庭经济暂时使用——可是，丝毫没有今日这样臃肿复杂的管理机关。一切问题，都由当事人自己解决，在大多数情况下，历来的习俗就把一切调整好了。不会有贫穷困苦的人，因为共产制的家庭经济和氏族都

①《马克思恩格斯选集》第4卷，北京：人民出版社，2012年，第202—203页。

知道它们对于老年人、病人和战争残废者所负的义务。大家都是平等、自由的，包括妇女在内。他们还不曾有奴隶；奴役异族部落的事情，照例也是没有的。”①

氏族成员之间的利益也具有一致性。“不久以前，我们在非洲看到了这种勇敢的例证。祖鲁卡菲尔人在数年前，也像努比亚人在数月前一样——两者都是至今还保存着氏族制度的部落——曾做出了任何欧洲军队都不能做到的事情。他们没有枪炮，仅仅用长矛和投枪武装起来，在英国步兵——在密集队形战斗上被公认为世界第一——的后装枪的弹雨之下，竟然一直向前冲到刺刀跟前，不止一次打散英军队伍，甚至使英军溃退，尽管在武器上非常悬殊，尽管他们根本没有服过兵役，也不知道什么是操练。”②祖鲁卡菲尔人的勇敢不是因为其无知到不懂得对死亡产生恐惧，求生是任何生物的本能。正是由于在氏族制度下，每个人都将他人的利益和生命视为与自己的利益和生命同等重要，才会做出这种牺牲自己保全他人的行为。并且，其他成员也会做出同样的牺牲。之所以会出现这种情况，是因为生产资料由大家共同掌握，因此在对劳动成果进行分配时也是公平合理的，不会出现一小部分人付出较少劳动或者不付出劳动就可获取大部分财富，而大多数人却付出劳动得不到回报或仅得到一点回报的情况。在经济地位平等的情况下，是不会出现阶级分化的，因而也就不存在控制了生产资料的少数人，为了个人利益而剥削压迫大多数无产者的现象。可是当私有制出现以后，人们开始追求个人

①《马克思恩格斯选集》第4卷，北京：人民出版社，2012年，第108—109页。

②《马克思恩格斯选集》第4卷，北京：人民出版社，2012年，第109页。

财富，忽视氏族中其他成员的利益。生产资料开始从大家共同占有转变为被少数人所掌控。公权力不再体现大多数人的意志，而是主要代表着统治阶级的意志，开始为统治阶级服务。这也就是中国古代诗人杜甫“致君尧舜上，再使风俗淳”的理想永远无法实现的原因。尧舜的氏族制度不可能在封建社会中再次确立，而妄图在封建生产关系下建立氏族制度下才有的社会面貌也同样是天方夜谭。

（9）以血缘为纽带的氏族成员中开始出现贫富分化。特别是发生在共产制家庭经济逐渐向个体家庭经济过渡，以及社会的分工，使以血缘为纽带的群体生活成为一种不必要的方式的时候。不同氏族成员的杂居，以及外来移民和对外征服的居民的出现，使以按血族部落的族籍来划分公民的方式被地区部落所取代。氏族那种平等、民主的传统不利于统治阶级建立对其有利的统治秩序，于是，氏族就在不断的改造过程中被国家所取代。

（10）我们可以看到，国家是为了缓和阶级矛盾、维持统治者的统治秩序而出现的，因此它与氏族有着许多不同之处：①它按地区来划分国民，而不像氏族那样以血缘作为区分标准。②公权力的设立，意味着禁止居民拥有武装力量的权利。③民众纳税。国家机关虽然在一定程度上维持着社会秩序，但它本身却并不创造社会财富，所以，为了维持这种公权力，就需要公民缴纳捐税。正如恩格斯所说：

“国家是从控制阶级对立的需要中产生的，由于它同时又是在这些阶级的冲突中产生的，所以，它照例是最强大的、在经济上占统治地位的阶级的国家，这个阶级借助于国家而在政治上也成为占统治地位的阶级,因而获得了镇压和剥削被压迫阶级的新手段。因此,古希腊罗马时代的国家首先是奴隶主用来镇压奴隶的国家,封建国家是贵族用来镇压农奴和依附农的机关,现代的代议制的国家是资本剥削雇佣劳动的工具。"①

"在历史上的大多数国家中,公民的权利是按照财产状况分级规定的,这直接地宣告国家是有产阶级用来防御无产阶级的组织……现代的代议制国家的选举资格,也是这样。但是,对财产差别的这种政治上的承认,决不是本质的东西。相反,它标志着国家发展的低级阶段。国家的最高形式——民主共和国,在我们现代的社会条件下正日益成为一种不可避免的必然性,它是无产阶级和资产阶级之间的最后决定性斗争只能在其中进行到底的国家形式——这种民主共和国已经不再正式讲什么财产差别了。在这种国家中,财富是间接地但也是更可靠地运用它的权力的。其形式一方面是直接收买官吏(美国是这方面的典型例子),另一方面是政府和交易所结成联盟,而公债越增长,股份公司越是不仅把运输业而且把生产本身集中在自己手中,越是把交易所变成自己的中心,这一联盟就越容易实现……有产阶级是直接通过普选制来统治的。只要被压迫阶级——在我们这里就是无产阶级——还没有成熟到能够自己解放自己,这个阶级的大多数人就仍将承认现存的社会秩序是唯一可行的秩序,而在政治上成为资本家阶级的尾巴,构成它的极左翼。但是,随着无产阶级成熟到能够自己解放自己,它就作为独立的党派结合起来,选举自己

①《马克思恩格斯选集》第4卷,北京:人民出版社,2012年,第188—189页。

的代表，而不是选举资本家的代表了。因此，普选制是测量工人阶级成熟性的标尺。”①

因此，我们可以看出，在国家中，虽然被统治阶级的人数众多，但能够发出的声音却很小。一切政治活动的核心都是围绕着如何防止被统治阶级“破坏社会秩序”，以及怎样确保统治阶级的利益最大化。不过，统治阶级的统治策略也在随着时代的演进变得越来越隐蔽、越来越高明。封建社会中的皇帝被打倒了，封建统治者给群众灌输的“国不可一日无君”的旧思想也从群众头脑中铲除掉了。然而只要生产资料还被少数人占有，那么奴役还会继续存在。这些占有着生产资料的少数人又摇身一变具有了新的身份，他们披上了新的外衣，从台前躲到了幕后。他们继续给群众灌输着新的奴化思想：

“凡对统治阶级是好的，对整个社会也应该是好的，因为统治阶级把自己与整个社会等同起来了。所以文明时代越是向前进展，它就越是不得不给它所必然产生的种种坏事披上爱的外衣，不得不粉饰它们，或者否认它们——一句话，即实行流俗的伪善，这种伪善，无论在较早的那些社会形式下还是在文明时代初期阶段都是没有的，并且最后在下述说法中达到了极点：剥削阶级对被压迫阶级进行剥削，完全是为了被剥削阶级本身的利益；如果被剥削阶级不懂得这一点，甚至想要造反，那就是对行善的人即对剥削者的一种最卑劣的忘恩负义行为。”②

那么，事实究竟是什么呢？

---

①《马克思恩格斯选集》第4卷，北京：人民出版社，2012年，第189—190页。

②《马克思恩格斯选集》第4卷，北京：人民出版社，2012年，第194—195页。

恩格斯写道："由于文明时代的基础是一个阶级对另一个阶级的剥削，所以它的全部发展都是在经常的矛盾中进行的。生产的每一进步，同时也就是被压迫阶级即大多数人的生活状况的一个退步。对一些人是好事，对另一些人必然是坏事，一个阶级的任何新的解放，必然是对另一个阶级的新的压迫。这一情况的最明显的例证就是机器的采用，其后果现在已是众所周知的了。如果说在野蛮人中间，像我们已经看到的那样，不大能够区别权利和义务，那么文明时代却使这两者之间的区别和对立连最愚蠢的人都能看得出来，因为它几乎把一切权利赋予一个阶级，另一方面却几乎把一切义务推给另一个阶级。"[①]

历史发展的脉络证实了一点，那就是被统治阶级通过不断的反抗，获得了越来越多的权利。而这一切都是因为人类社会生产力的不断提高，促使着生产关系也在不断改变，并不是什么神的意志、卓越人物的思想或者某种隐秘的理性。传播上帝真理的基督教"在罗马帝国和奴隶制同流合污达数世纪之久，以后也从来没有阻止过基督徒买卖奴隶——既没有阻止过德意志人在北方，或威尼斯人在地中海买卖奴隶，也没有阻止过后世买卖黑奴。"[②]"自由的法兰克农民陷入了与他们的前辈即罗马的隶农一样的处境。他们被战争和掠夺弄得破产，不得不去乞求新贵或教会的保护，因为国王的权力太弱了，已经不能保护他们；不过这种保护使他们不得不付出很高的代价。像以前高卢农民那样，他们必须将自己那块土地的

①《马克思恩格斯选集》第4卷，北京：人民出版社，2012年，第194页。

②《马克思恩格斯选集》第4卷，北京：人民出版社，2012年，第166—167页。

所有权交给保护人，再以各种不同的和变化的形式——不过总不外是劳役和代役租——从他那里把这块土地作为租地而租回来。一经陷入这种依附形式，他们也就逐渐地丧失了自己的人身自由；过不了几代，他们大多数已经都是农奴了……保护人让农民把自己那块土地交归他所有，然后仅仅是再将这块土地交回农民终身使用，这个曾被萨尔维安宣布为背神行为的习俗，如今到处被教会施加在农民身上了。”[①]包括美国南北战争的起因，也并不是出于单纯的道德因素，其中的经济因素是引发战争的主要原因。北方的工业发展需要大量劳动力，而南方实行奴隶制的种植业经济却把大批劳动者束缚在种植园中。这就解释了为什么奴隶制社会在这个历史时期内被废除，而废除奴隶制后为什么黑人却直到现在也一直受到种族歧视。因为，当时美国北方的统治阶级最为关心的是黑人能否自由地到工厂中劳动，至于对他们的社会地位则毫不关心。

15. 关于国家的理论

恩格斯以雅典、罗马和德意志国家产生的历史事实为依据，精辟而又系统地阐述了马克思主义的国家观，其基本内容和核心思想如下：

（1）关于国家的历史起源。

恩格斯认为，国家是一个历史范畴，它不是从来就有的，而是生产力发展导致的第三次社会大分工产生的。人类历史上有三次社会大分工。第一次社会大分工是农业和畜牧业的分离。从第一次社会大分工中产生了第一次社会大分裂，形

①《马克思恩格斯选集》第4卷，北京：人民出版社，2012年，第170页。

成了主人和奴隶(剥削者和被剥削者)两个阶级。第二次社会大分工是手工业和农业的分离。随着新的分工,社会又有了新的阶级划分,除了自由民和奴隶的差别以外,又出现了富人和穷人的差别,而且使得一夫一妻制的家庭成为社会的经济单位。第三次社会大分工是商业和农牧业的分离和商人阶级的出现。这次社会大分工彻底瓦解了氏族制度赖以存在的前提,国家在氏族制度的废墟上兴起。由此可见,国家是在私有制和阶级发生与发展的基础上产生的,是阶级矛盾不可调和的产物。恩格斯指出,国家的产生有不同的过程和途径,他以雅典、罗马和德意志国家产生的历史过程为事实依据,系统地阐述了国家在氏族制度的废墟上产生的三种主要形式:第一种是雅典式的形式,即国家是直接在氏族社会内部发展起来的阶级对立中产生并形成的,这是国家产生的典型形式;第二种是罗马形式的国家起源,罗马国家是平民和贵族斗争的结果;第三种是德意志人的国家产生途径,即国家是直接从征服广大外部领土中产生的。

（2）关于国家组织的特征。

恩格斯指出,国家是在氏族制度瓦解的基础上产生的,但它不是对氏族组织的简单继承,而是与氏族组织有着根本区别的特殊的社会组织。一是国家按地区划分它的国民,按居住地来组织国民,氏族组织则以血缘关系来划分和管理居民;二是国家设立专门的公共权力,迫使被统治阶级服从,这种公共权力以强制力,即以武装的人及其物质的附属物,如监狱和各种强制设施为后盾,这是氏族社会所没有的;三是为了维持这种公共权力,需要公民缴纳费用——捐税,甚至发行公债。

（3）关于国家的阶级本质。

恩格斯指出："国家是承认：这个社会陷入了不可解决的自我矛盾，分裂为不可调和的对立面而又无力摆脱这些对立面。而为了使这些对立面，这些经济利益互相冲突的阶级，不致在无谓的斗争中把自己和社会消灭，就需要有一种表面上凌驾于社会之上的力量，这种力量应当缓和冲突，把冲突保持在'秩序'的范围以内；这种从社会中产生但又自居于社会之上并且日益同社会相异化的力量，就是国家。"①"由于国家是从控制阶级对立的需要中产生的，由于它同时又是在这些阶级的冲突中产生的，所以，它照例是最强大的、在经济上占统治地位的阶级的国家，这个阶级借助于国家而在政治上也成为占统治地位的阶级，因而获得了镇压和剥削被压迫阶级的新手段。"②

恩格斯的这些论述表明，国家的本质包括以下几个内容：

第一，国家本质上是阶级统治。国家是社会历史发展到特定阶段的产物，是阶级矛盾不可调和的产物，因此，它是在社会经济关系中占据主导地位的阶级用以实现和维护其统治地位的工具。

第二，国家的本质并不是公共利益的代表。国家在形式上凌驾于社会之上，似乎中立于相互冲突的阶级之外，其面貌似乎是代表公众的利益。但剥削阶级国家作为公共利益代表的形式，总是与其阶级本质相悖的。国家中立于社会之上的

① 《马克思恩格斯选集》第4卷，北京：人民出版社，2012年，第186—187页。

② 中共中央组织部，中共中央宣传部，中共中央编译局编：《马列主义经典著作选编（党员干部读本）》，北京：党建读物出版社，2011年，第140—141页。

形式并不是国家的本质，只是国家的外部特征，隐藏在这种形式背后的，是国家的阶级本质。

第三，国家是统治阶级政治秩序的维护者。在社会历史发展的特定阶段，社会分裂为经济利益相互冲突、不可调和的对立阶级，社会自身既无力摆脱这些阶级对立，又不可能解决这些阶级矛盾。统治阶级为了维护和实现自己的利益，必须缓和这种冲突，努力把它们控制在“秩序”的范围内，这就需要国家这种特殊的公共权力设置，履行统治与缓和、压迫与控制的多重职能。正是在这个意义上，国家充当着缓和阶级对立和冲突、维护统治阶级秩序的特殊工具。

（4）关于国家的统治形式。

在揭示国家的阶级统治本质的基础上，恩格斯从历史发展的角度，阐明了不同历史发展阶段统治阶级财产状况与政治统治联系的不同方式。恩格斯把进入文明时期以来国家的统治划分为三种类型：一是奴隶制国家，二是中世纪农奴制国家，三是资产阶级国家。这三种国家与历史上的三大奴役形式是相适应的，他强调：“奴隶制是古希腊罗马时代世界所固有的第一个剥削形式；继之而来的是中世纪的农奴制和近代的雇佣劳动制。”①

按照恩格斯的分析，在这三种国家形式中，奴隶制国家和农奴制国家采取的是赤裸裸的统治形式，而资产阶级国家由于阶级斗争的尖锐化，转而采用间接、隐秘的方式来进行统治，包括直接收买官吏，使其变为自己的代理人；政府和交易

① 中共中央组织部，中央宣传部，中共中央编译局编：《马列主义经典著作选编（党员干部读本）》，北京：党建读物出版社，2011年，第144页。

所结盟；直接通过普选制来进行统治；等等。

（5）关于国家的未来消亡。

恩格斯指出，随着社会生产力的发展，“阶级不可避免地要消失，正如它们从前不可避免地产生一样。随着阶级的消失，国家也不可避免地要消失。在生产者自由平等的联合体的基础上按新方式来组织生产的社会，将把全部国家机器放到它应该去的地方，即放到古物陈列馆去，同纺车和青铜斧陈列在一起”①。这就表明，国家作为一个历史范畴，也将在历史发展过程中趋于消亡。不过，国家的消亡是有条件的，这个条件就是在生产力高度发达的基础上，消灭私有制和阶级。

延伸阅读

（1）中共中央组织部，中央宣传部，中共中央编译局编：《马列主义经典著作选编（党员干部读本）》，北京：党建读物出版社，2011年。

（2）《马克思恩格斯选集》第4卷，北京：人民出版社，2012年。

（3）郭宝宏：《马克思主义国家理论的当代魅力》，北京：人民出版社，2012年。

深度思考

（1）恩格斯研究古代社会的方法有哪些？

（2）如何才能更加系统全面地掌握《起源》的内容？

（3）画出《起源》一书的逻辑框图。

① 中共中央组织部，中央宣传部，中共中央编译局编：《马列主义经典著作选编（党员干部读本）》，北京：党建读物出版社，2011年，第142页。

Reading & Interpretation
大家写小书·马恩经典著作新读

第 三 章
理论意义与历史意义

《起源》是恩格斯的一部关于古代社会发展规律和国家起源的著作，是一部马克思主义经典著作。

一、运用历史唯物主义基本原理进行社会分析

今天学习《起源》，有助于我们深入理解和掌握历史唯物主义基本原理，有助于我们深入理解和掌握马克思主义国家学说和中国特色社会主义民主政治理论。这部著作丰富完善了历史唯物主义的理论和方法体系，系统阐述了马克思主义国家学说，揭示了共产主义是人类社会发展的必然趋势，揭示了国家在人类历史发展过程中的地位和作用。该著作在马克思主义发展史上具有极为重要的理论地位。正如列宁在《论国家》一文中所指出的，“我希望你们在研究国家问题的时候看看恩格斯的著作《家庭、私有制和国家的起源》。这是现代社会主义的基本著作之一”[①]。

在我国，最早提到《起源》内容的是旅法学者创办的刊物《新世纪》，最早发表《起源》片断中译文的是同盟会员在日本东京创办的《天义报》。此后，恽代英在《东方杂志》第十七卷十九号和二十号发表了《起源》的部分译文。1922—1923年，蔡和森在上海大学讲授“私有财产和家族制度起源”课程，并于1924年编写出版《社会进化史》一书，系统介绍了《起源》。1924—1929年，《社会进化史》出版过五次，在大革命期间，被各地农民运动讲习所和一些党的基层组织列为教材和学习读物，影响许多人走上了革命道路。这一时期，介绍《起源》的还

①《列宁专题文集：论辩证唯物主义和历史唯物主义》，北京：人民出版社，2009年，第284页。

有李达等人。《起源》一直是中国共产党学习、宣传历史唯物主义和马克思主义国家学说的重要著作，多次被列为党员干部学习的必读书。

在《起源》中，恩格斯对家庭、私有制、阶级和国家等一系列重大理论问题进行了科学分析和系统论述，阐明国家是生产力和社会自身发展运动的产物，是特定历史发展阶段的现象。这些分析和论述，为我们把握人类社会政治现象及其发展规律提供了科学依据，为我们运用历史唯物主义的立场观点方法认识国家、民主、自由、人权等社会政治现象提供了科学依据。如同列宁指出的，“我所以提到这部著作，是因为它在这方面提供了正确观察问题的方法。它从叙述历史开始，讲国家是怎样产生的”[①]。《起源》对于马克思主义和历史唯物主义的丰富和发展，对于我们认识人类社会发展和国家发展的历史进程，牢固树立唯物史观和马克思主义国家观，不断推进中国特色社会主义民主政治建设具有重要意义。

《起源》深刻阐明了国家本质上是阶级统治，任何国家都是统治阶级政治秩序的维护者。这就告诉我们，无论资本主义国家采取什么统治形式和政府政策，只要它建立在资本主义私有制和阶级对立基础上，其维护和实现资产阶级利益的核心功能就不会发生根本变化，其作为资产阶级国家的本质就不会发生根本变化。与资本主义国家截然不同的是，我国的社会主义制度建立在公有制基础上，坚持工人阶级领导的、以工农联盟为基础的人民民主专政的国体，在本质上，必然要

---

①《列宁专题文集：论辩证唯物主义和历史唯物主义》，北京：人民出版社，2009年，第284页。

代表中国最广大人民的根本利益，必然要坚持由工人阶级和广大劳动人民当家做主，必然要把维护和实现工人阶级和广大劳动人民的利益要求作为一切工作的出发点和落脚点。

二、对于把握国家、民主等政治现象的本质具有重要指导意义

《起源》对于我们清醒认识和把握国家、民主等政治现象的本质，划清不同国家和不同民主政治的界限具有重要指导意义。《起源》在论述剥削阶级国家本质与国家形式的关系时明确指出，国家虽然本质上是统治阶级进行阶级统治的工具，但是，形式上却常常以凌驾于社会之上、中立于相互冲突的阶级之外的社会公共利益代言人的形象出现。在对国家本质与形式的考察中，恩格斯特别强调，在资本主义代议制国家中，其民主政治本质上是以私有制和财产状况作为经济基础和本质特征的。但是，由于阶级斗争的尖锐化，资产阶级会采用间接、隐秘的方式来进行统治，比如通过收买官吏、培植自己的代理人、实行普选制来进行统治。由此可见，资本主义民主实际上不过是资产阶级进行阶级统治的间接和隐蔽形式，是围绕维护和实现资产阶级利益运行的。

社会主义国家及其民主政治与资本主义国家及其民主政治在阶级本质上具有根本区别。社会主义国家和公有制的建立，使得占人口绝大多数的工人阶级和劳动者获得民主，是对剥削阶级实行专政，因此成为国家发展历史上的新型民主和新型专政国家，为社会主义国家在本质与形式、程序与实质的关系方面达成高度统一，在实现工人阶级和劳动人民的利益

与实现全社会公共利益方面达成高度一致奠定了基础，为切实实现工人阶级和劳动人民普遍、真实、平等的权利创造了前提。

三、国家理论在国际共产主义运动史中发挥了重要作用

《起源》对于国际共产主义运动产生了重要影响，特别是对于清理在工人运动中存在的各种错误的国家观念产生了极大影响。这一点，列宁在《论国家》演讲中明确指出："我们看到，有各种各样的资本主义国家，有在战前创立的替这些国家辩护的各种学说。要正确处理问题，就必须批判地对待这一切学说和观点。"[①]如何做到这一点？列宁说："我已经介绍你们阅读恩格斯的著作《家庭、私有制和国家的起源》。"[②]《起源》使工人阶级懂得了国家的本质以及作用，懂得了如何捍卫无产阶级新型国家，从而激发出了巨大的建设社会主义新国家的力量。

《起源》在中国革命历史上和近代学术史上都发挥过重要作用。1922年1月15日，中共早期卓越领导人和杰出的工人运动领袖邓中夏以笔名重远在《先驱》杂志创刊号上发表了《共产主义与无政府主义》一文，文章摘译了《起源》一书中关于国家性质以及如何消亡的论述。邓中夏在引用了恩格斯讲的"国家全部机器在将来当与古物并列"后说，在阶级还存在的时期，革命的人民是需要它的，如同我们想向空中飞去，需

①《列宁专题文集：论辩证唯物主义和历史唯物主义》，北京：人民出版社，2009年，第294页。

②《列宁专题文集：论辩证唯物主义和历史唯物主义》，北京：人民出版社，2009年，第294页。

要研究飞机、飞艇一样。1922—1923年，另一位中国共产党早期卓越领导人蔡和森在上海大学讲授“私有财产和家族制度起源”课程时，他根据恩格斯的《起源》，于1924年编写出版了《社会进化史》一书，系统介绍了《起源》。1924—1929年，《社会进化史》出版过五次，在第一次土地革命战争时期，被很多农民运动讲习所和一些党的基层组织列为教材和学习读物，许多人在这本书的影响下走上了革命道路。1929年，新生命书局出版了由李膺扬译、周佛海校、陶希圣作序的《起源》中文译本，该书名译为“家族私有财产及国家之起源”。出版前，《新生命》杂志为之发表介绍，称出版这本名著的意义有二：“第一在使读者认识历史的唯物论的具体论据。第二在使读者引起研究民族学的端绪和兴趣。在这两种意义上，没有比这本书还适宜的。它是历史唯物论的宗匠所著作的。它又是根据民族学最初最有系统的名著——莫尔干《古代社会》——而下笔的。”[①]应该说，这一介绍基本上符合《起源》的内容。

延伸阅读

（1）列宁：《国家与革命》，北京：人民出版社，2015年。

（2）蔡和森：《社会进化史》，北京：东方出版社，1996年。

（3）中国话语权研究课题组：《国家、阶级、民主与专政》，北京：社会科学文献出版社，2015。

① 贺渊：《社会史论战的先声——〈新生命〉杂志对中国社会结构的探讨》，《南京大学学报（哲学·人文科学·社会科学版）》2006年第3期，第98页。

深度思考

（1）《起源》运用历史唯物主义基本原理的分析方法体现在哪些方面？

（2）《起源》对于理解党的领导、人民当家做主、依法治国有机统一有哪些指导意义？

（3）在理解《起源》的相关思想基础上，如何更进一步认清社会主义国家及其民主政治与资本主义国家及其民主政治在阶级本质上的根本区别？

Reading & Interpretation
大家写小书·马恩经典著作新读

第四章
在新时代的现实意义

在新时代中国特色社会主义阶段，重读《起源》可以从人类文明社会的最小经济单元家庭及私有制的产生、演变和发展去厘清一些认识上的误区。

一、家庭观对当代中国家庭文明建设的启示

2016年12月，首届全国文明家庭表彰大会召开，习近平总书记从战略全局的高度再次强调要注重家庭、注重家教、注重家风，充分体现了以习近平同志为核心的党中央对家庭文明建设的高度重视。《起源》中的家庭观为当下我国家庭文明建设提供了重要理论资源与启示。

1. 重视家庭在当代中国社会中的作用与功能

当今社会，家庭教育、老人养老、婚姻伦理、家庭腐败等诸多家庭问题频发，重视家庭文明建设正当其时。恩格斯关于家庭地位与功能的观点无疑为当前家庭建设提供了重要理论指导。

从一般意义上讲，家庭作为由夫妻、父母、子女等构成的社会关系系统，不仅家庭成员彼此之间发生血缘的、生活的等自然关系，在朝夕相处中影响着各自的成长与发展，而且，家庭成员也会与社会发生经济的、政治的、社会的等联系，进而影响社会的稳定与有序发展，甚至影响国家的走向与发展，"家庭的前途命运同国家和民族的前途命运紧密相连"①。恩格斯准确地把握了家庭的本质，强调家庭是自然关系与社会关系的统一体。他认为，自人类进入文明社会以来，家庭由群

①《习近平：在会见第一届全国文明家庭代表时的讲话》，新华网，2016年12月12日，http://www.xinhuanet.com//politics/2016-12/15/c_1120127183.htm，2019年9月29日。

居家庭发展为个体家庭，其不仅具有“种的繁衍”的人类自身生产的功能，而且还具有物质资料生产的功能，同时这种经济功能逐渐占据了主导地位。伴随着个体家庭的发展完善，家庭在稳定社会秩序、教育社会个体方面的作用也越来越突出。正如习近平总书记所强调的：“家庭是社会的细胞。家庭和睦则社会安定，家庭幸福则社会祥和，家庭文明则社会文明。”①

2. 正确看待婚姻家庭关系，创造良好的家庭伦理关系

恩格斯指出：“母权制被推翻，乃是女性的具有世界历史意义的失败。”②尽管在史前人类阶段，女性曾经占据统治地位，然而，随着社会分工、私有制以及社会的不断发展，女性的地位逐渐被男性所取代。恩格斯认为，只要女性能够大量参加社会劳动，男女在地位上就能达到真正的平等。在今天，随着科技的进步以及整个社会认知的进步，广大女性已经投入到社会大生产中，这为男女平等创造了客观条件，但目前仍然有一些男性不能正确对待婚姻家庭关系，将女性当成婚姻家庭的附属品，实际上是犯了本末倒置的错误。只有正确看待婚姻家庭关系，才能创造良好的家庭伦理关系。因而，《起源》对于建立婚姻家庭关系的论述，对于今天的家庭伦理道德也具有一定的启发意义。

3. 正确看待婚姻家庭中的义务关系

现实地看，我国现阶段婚姻家庭所承担的某些义务，与家

①《习近平：在会见第一届全国文明家庭代表时的讲话》，新华网，2016年12月12日，http://www.xinhuanet.com//politics/2016-12/15/c_1120127183.htm，2019年9月29日。

②《马克思恩格斯选集》第4卷，北京：人民出版社，2012年，第66页。

庭的爱情基础并非没有矛盾，一些缺乏甚至失去爱情的家庭之所以依然维持着，主要是子女抚养、经济扶持等义务使然。但这种情况并非绝对和必然的。既然爱情不仅仅是一种占有，它还是一种给予、一种奉献，那么只要爱着对方，两性间所尽的义务就不仅与爱情不矛盾，长远看，它还是表达爱情最朴实、最动人的方式。在此意义上，义务绝非只是爱情的累赘，它也可以是滋养爱情之果的养料，甚至本身就是爱情之果的必要成分。况且婚姻从来就不仅仅是男女两性的生理结合，在广义上它还是一种社会行为。

我国现阶段的家庭就承担着抚育子女、赡养老人、发展经济、稳定社会等多方面的功能，如何立足现实条件，适应全面建成小康社会、妇女解放和人的全面发展的要求，正确认识和处理我国现阶段婚姻家庭的基础、模式、道德、立法等问题，将是我们面临的艰巨和长期的任务。在这个问题上，《起源》有关婚姻家庭的历史哲学的视角和所阐发的基本精神，对我们依然有着不可磨灭的价值。

二、私有制理论的现实启示

了解和尊重私有制产生、发展、消亡的规律，正确认识、理解私有制与阶级的关系是《起源》中的私有制理论给我们的启示。

1. 要尊重私有制的历史消亡规律

《起源》论述了私有制的历史消亡规律，恩格斯认为生产力发展产生了私有制，共产主义要消灭私有制，但是“只有在废除私有制所必需的大量生产资料创造出来之后才能废除私有制"[1],可见,恩格斯认为消灭私有制是有条件的而不是无条件的,更不是由人的主观能动性决定的。1958年发生的湖北省当阳县跑马乡消灭私有制事件是当时急于向共产主义过渡所引起的思想混乱的典型表现。"共产主义革命就是同传统的所有制关系实行最彻底的决裂;毫不奇怪,它在自己的发展过程中要同传统的观念实行最彻底的决裂。"[2]"共产主义的特征并不是要废除一般的所有制,而是要废除资产阶级的所有制。"[3]在社会主义初级阶段也就是生产力不够发达的历史阶段,私有制的存在和发展能够解决就业、发展经济、促进生产,因此,要保护合法私有财产,辩证地看待私有制和公有制的矛盾,遵循私有制发展消亡的历史规律,依照《宪法》规定正确保护和引导私有制经济的发展,走符合中国生产力发展规律和中国国情的高质量发展道路。

2. 正确认识私有制与阶级的关系

阶级是一个历史的、经济的范畴。阶级是在生产力发展到一定阶段产生的,它同私有制是孪生兄弟,是同时产生的,又互为存在的条件。共产党人最终要实现"每个人的自由发展是一切人的自由发展的条件"[4]的自由人的联合体,就一定要重视私有制与阶级的关系,就一定要坚持最终废除私有制的目标。当然,废除私有制不能一下子做到,"正像不能一下子就把现有的生产力扩大到为实行财产公有所必要的程度一样……无产阶级革命,只能逐步改造现今社会,只有创造了所

①《马克思恩格斯全集》第4卷,北京:人民出版社,1958年,第366—367页。
②《马克思恩格斯选集》第1卷,北京:人民出版社,2012年,第421页。
③《马克思恩格斯选集》第1卷,北京:人民出版社,2012年,第414页。
④《马克思恩格斯选集》第1卷,北京:人民出版社,2012年,第422页。

必需的大量生产资料之后，才能废除私有制”[①]。最终废除私有制同不断巩固和发展社会主义制度是一致的、统一的。

突破所有制认识误区是推进我国市场经济改革的必由之路。实际上，公有制经济在国民经济中的主体作用主要体现在两个方面：一是对国民收入再分配的调节，建立完整社会福利和社会保障制度，确保社会公平与稳定。二是在市场制度不完善、不发达领域和非公经济无力和无意进入的领域，国有资本要大力介入，它既体现一定的公共性，又体现一定的市场矫正能力。进入攻坚区和深水区的市场经济改革需要进一步解放思想，处理好“姓资姓社”“姓国姓民”“姓公姓私”所引起的意识形态领域的主义之争和制度之争，消除所有制的鸿沟和障碍，大力推动经济社会的工业化、城市化与国际化，增加社会福利，完善社会保障，注重社会公平与和谐发展，保障公民自由，推进社会民主化和法制化建设的进程，才能进一步解放生产力和发展生产力，把我国建成富强民主文明和谐美丽的社会主义现代化强国。

三、国家理论对于推进国家治理体系现代化具有现实意义

《起源》阐释了分析国家问题的基本方法即历史分析的方法，即“要非常科学地分析这个问题，至少应该对国家的产生和发展作一个概括的历史的考察。”[②]《起源》对国家的发展历

①《马克思恩格斯选集》第1卷，北京：人民出版社，2012年，第304页。

②《列宁专题文集：论辩证唯物主义和历史唯物主义》，北京：人民出版社，2009年，第283页。

程作了历史唯物主义的考察，论述了国家形成后的三种形态即奴隶制国家、封建国家和资本主义国家的历史演变过程，使我们对国家的发展历史有了正确的认识。“我所以提到这部著作，是因为它在这方面提供了正确观察问题的方法。它从叙述历史开始，讲国家是怎样产生的。”[①]列宁因此得出这样一个科学结论：“在社会科学问题上有一种最可靠的方法，它是真正养成正确分析这个问题的本领而不致淹没在一大堆细节或大量争执意见之中所必需的，对于用科学眼光分析这个问题来说是最重要的，那就是不要忘记基本的历史联系，考察每个问题都要看某种现象在历史上怎样产生、在发展中经过了哪些主要阶段，并根据它的这种发展去考察这一事物现在是怎样的。”[②]恩格斯在分析国家问题时，是把它放到历史之中来分析的，通过研究家庭发展的历史、私有制出现的历史，从而得出国家是如何起源的。恩格斯认为，国家是在文明时代的门槛上产生的，在此之前，人类经历了蒙昧时代的低级阶段、中级阶段和高级阶段，经历了野蛮时代的低级阶段、中级阶段和高级阶段。这一系列历史发展阶段形成的社会分工程度、生产力和生产关系变革状况、私有制展现出来的规模和广度、阶级对立和阶级斗争的情形等，都为国家的产生奠定了物质和社会基础。

《起源》告诉我们，在社会主义与资本主义仍然处于竞争的时代，国家职能不仅不能削弱，还要加强。在我们国家，经

①《列宁专题文集：论辩证唯物主义和历史唯物主义》，北京：人民出版社，2009年，第284页。

②《列宁专题文集：论辩证唯物主义和历史唯物主义》，北京：人民出版社，2009年，第283页。

常会听到这样一种观点：市场经济就是追求“小政府、大社会”，就是弱化国家职能，实现没有国家的治理。其实，恩格斯讲得很清楚，国家很重要的职责就是缓和冲突，把冲突保持在“秩序”的范围以内。可以说，国家越强大，缓和冲突的能力就越强。在发达资本主义国家，不是没有阶级冲突，而是强大的国家能力把冲突挤压到了极小的空间，把无产阶级以及广大劳动人民进行的斗争空间挤压到了最小。在我们国家，阶级斗争仍然在一定范围内存在，但由于国家的人民性以及带来的国家力量把工人阶级、农民阶级、知识分子、广大社会主义建设者等组成的人民主体与极少数反对社会主义、反对共产党的敌对势力的斗争控制在了很小的范围内。人们似乎感觉不到阶级斗争的存在，以为阶级斗争消失了。其实斗争是客观存在的，一旦没有人民民主专政的强大国家机器的存在，这些斗争就会马上表面化。我们之所以要加强国家治理现代化建设，使国家职能更加强大，还有一个重要因素就是国际环境。1960年2月5日，毛泽东同陶铸、邓力群、胡绳、胡乔木等一起读《政治经济学教科书》第35章《从社会主义逐步过渡到共产主义》，在教科书讲到共产主义高级阶段国家将逐渐消亡处，毛泽东批注：“国家消亡，需要有一个国际条件。人家有国家机器，你没有，很危险。”[①]的确如此，江泽民曾经在2001年指出，“任何国家要保持政权巩固和社会稳定发展，都要履行专政的职能。西方国家不但有专政职能，而且很厉害。在西方，资产阶级统治了几百年，他们深知国家的专政职能的重要性，

---

① 中共中央文献研究室编：《毛泽东年谱（1849～1976）》第4卷，北京：中央文献出版社，2014年，第316页。

掌握得牢牢的，从来就没有放弃和放松过。西方国家的政府、法院、警察和军队，也都要运用法律、行政和先进的技术手段，履行专政职能”。[1]西方的国家机器十分强大，强大到令人恐怖的地步。

延伸阅读

（1）中共中央党史研究室：《中国共产党历史：1921—1949年（第一卷）》，北京：中共党史出版社，2011年。

（2）《习近平谈治国理政·第1卷》，北京：外文出版社，2018年。

（3）胡鞍钢：《中国国家治理现代化》，北京：中国人民大学出版社，2014年。

深度思考

（1）《起源》对于学习习近平总书记治国理政的方略有哪些指导意义？

（2）《起源》对于树立社会主义核心价值观有哪些启示意义？

（3）《起源》对新时代中国家风建设有哪些启示？

①《江泽民文选》第3卷，北京：人民出版社，2006年，第223页。

后 记

马克思主义揭示了人类历史前进的动力、主体、方向和趋势，揭示了历史发展规律，指明了人类解放的现实之路，始终占据着科学和道义的制高点。从一定意义上说，掌握马克思主义理论的深度，决定着政治敏感的程度、思维视野的广度、思想境界的高度。回望马克思主义发展史，它已经成为这样一种语言：数百万人用它来表达他们对一个更公正的社会的希望。世界上有很多思想、理论和学说，但没有哪一种思想、理论和学说能像马克思主义这样为人民谋幸福、为世界谋和平、为人类谋进步。马克思主义之所以具有跨时空的伟力，就在于它在人类历史的大格局中以彻底的理论把握了时代的脉搏。

中国共产党从诞生之日起，就把马克思主义确立为自己的指导思想，并根据中国的具体实际和时代条件的变化，使之同中国革命、建设和改革发展的时代任务紧密结合。中国共产党是一个高度重视马克思主义理论建设和理论武装的党，在党的事业发展的每一个重大历史关头，党中央总是号召全党同志加强马克思主义理论学习，用马克思主义理论创新的最新成果凝聚意志、引领前行。在学思践悟中、真信笃行中，不断提高运用马克思主义的创新理论指导实践、推动工作的能力，我们就能把马克思主义理论的力量转化为改变世界的力量，在实现中华民族伟大复兴的征程中走好新时代的长征路。

“我们党依靠学习创造了历史，更要依靠学习走向未来。”[①]为了帮助广大干部群众深入学习和领会经典著作，在学习经典著作中提高理论思维能力，特编写此书。

不可否认，本书难免存在不尽人意之处，恳请读者和专家不吝赐教。

顾保国

2019年9月9日于北京沙滩大院

---

①《习近平：善于学习，就是善于进步》，《人民日报海外版》2019年3月1日，第1版。